ケアする惑星

小川公代

Kimiyo Ogawa

講談社

ケアする惑星　目次

ケアする惑星

装幀　川名潤

1章　〝ケアする人〟を擁護する——『アンネの日記』再読

1．愛すべき存在としてのケアラー

いつか地球が〈ケアする惑星〉の名にふさわしい場所になることがあれば、それは〝ケアする人〟が大切にされるときだろうと思う。イギリス文学研究の領域においても、フィクション、ノンフィクション問わず、主人公の助力者である〝ケアする人〟、つまりケアラーたちは諷刺の対象であったり、脆弱な存在であったりすることが多い。そうでなければ、『フランケンシュタイン』（一八一八年）、『ジェイン・エア』（一八四七年）、『ミドルマーチ』（一八七一～一八七二年）のように、物語が始まった時点でケアラーである母親はすでに他界して、不在ということもよくある。それに加えて、主人公の母親や養育者はそもそも研究対象から外されがちである。たとえば、ジェイン・オースティンの『高慢と偏見』（一八一三年）や『エマ』（一八一五年）の読者であれば、エリザベス・ベネットやエマ・ウッドハウスといった、魅力的なヒロインの一挙手一投足を追いかけることに夢中で、ケアラーがどれほど矮小化されているか考えながら読まないだろう。しかし、母親ミセス・

ベネットに対するエリザベスの冷ややかな態度に注視してケアラーの心情に思いを馳せると、なんだか複雑な気持ちになる。たしかに、才気煥発なエリザベスと比較すると、娘たちの未来の夫探しに奔走して、軽率な言動を繰り返す母親は読者にとっても嘲笑の的でしかない。ただし自戒の念を込めて書くとすれば、エリザベスが辟易(へきえき)するこの欠点の多い母親がじつは娘五人を育て上げたのだということを心に留めておきたい。『エマ』にも、ヒロインの輝くような若さと対照をなす未婚の中年女性ミス・ベイツが登場するが、彼女のことを覚えている読者は少ないだろう。ミス・ベイツは母親を介護するケアラーで、けっして人を傷つけない、心の広いキャラクターである。エマと比べると「彼女は貧しくて、生まれたときの安楽な境遇から落ちてしまっているし、これから年をとってゆけば、もっと落ちぶれる」[*1]だろう。そんな彼女をエマは嘲笑の対象にしてしまうのだが、そのことでエマは後の結婚相手ミスター・ナイトリーに注意を受け、初めて自分の思慮のなさに気づくのだ。

ヘレン・フィールディングによる『ブリジット・ジョーンズの日記』（一九九六年）に登場するパム・ジョーンズは、家族の世話(ケア)に人生を費やした現代版ミセス・ベネットである。出版社勤務というキャリアをもつ娘のブリジットは、口やかましい母親パムを煙たがり、ついにパムは、「夏じゅう歌ばかりうたってすごしたキリギリスみたいな気がするの」と主婦業の不毛感を訴える。「三十五年ものあいだ一日の休みもなしに彼〔夫〕の家庭を切り盛りし、彼の子どもたちを育てるだけで毎日を過ごしてき」たことを後悔するのだ。彼女にとって、キャリア、資格、スキルがないことは、キリギリスに「蓄え」がないのと同じことである。歳をとるにつれてないがしろにされる女性たちをフェミニストのジャーメイン・グリアは「目に見えない存在」と形容した。[*2] パムもそのイメージに自分を重ねて絶望し、夫との別居生活に踏み切る。なぜケアラーが家族のためにしてきたことが正当に評価されないのだろうか。グリアは母親にたいする社会の凄まじい敵意をさまざまな例を用いて紹介している。「子どもをかわいがれば、母親としての役割に過剰適応していると か、所有欲が強いとか過剰防衛的だとか言われてしまう」（グリア、一二二頁）。

このようなケアラーへの敵意は、現実世界で彼女らが直面する女性蔑視の問題と無関係ではないだろう。社会学者の品田知美によれば、社会の抑圧を受けている女性らが子育てに従事し、かつ彼女らの多くが「自分を愛せていない」ことが日本社会のさまざまな問題の根っこにある。[*3] キャロル・ギリガン（Carol Gilligan, 1936-）による『もうひとつの声で心理学の理論とケアの倫理』（二〇二二年）でも、尊重されるべき「声」として〝ケアする人〟の倫理が論じられている。〈ケアの倫理〉の観点から見ると、フェミニストの原点は「聞かれなかった声を聞こえるようにする必要から始まる。それは、男性支配と、その道徳規範とに対して、声のファビエンヌ・ブルジエールによる次の言葉で表されるだろう。平等という倫理を考えるためである」[*4]。日本では、悲しいことに、育児、看護、介護などのケアの営為に対する評価は著しく低い。私的領域でも公的領域でもケアの価値がないがしろにされているというこの切実な問題が語られないかぎり、家父長的な言説に抗うことはできないのではないか。この問いを起点にして、本章では、ナチス独裁体制下で家族と身を隠して暮らしながら日記を綴ったアンネ・フランクと母親のエーディトの関係に着目する。ギリガンの *Joining the Resistance*（『抵抗に参加する』）という最新の研究によれば、アンネが抱いていた母親像と父オットー・フランクが編集した初版『アンネの日記』の間に齟齬があると論じられているからだ。ギリガンは八十五歳にしてまだ現役の研究者で、ケアラー嫌悪、あるいは母親嫌悪という葛藤を抱く思春期の少女たちをテーマに研究を続けている。彼女の『アンネの日記』分析をとっかかりにして、愛すべき存在としてのケアラーを見出したい。

2.『アンネの日記』の複数のバージョン

一九三〇年代にナチス独裁体制の下でユダヤ人らの迫害が始まり、アンネ・フランクの一家は生活基盤をドイツからオランダに移した。最終的にフランク一家と友人たち八人は二年間アムステルダムの《隠れ家》で息を潜めて暮らしていたが、一九四四年八月四日にはついにその《隠れ家》がゲシュタポ（秘密警察）に襲われる。捜査員は彼女らを立たせたまま家宅捜索を始めたが、『『アンネの日記』の原本となるそのノートや紙片は、散乱した食器や棚、古新聞や本、衣類、切り裂かれたベッドやマットレスから出た詰め物などに紛れ込んで」いたため、ゲシュタポの目を逃れ[*5]、さらには、協力者のミープ・ヒースは、連行されなかったため散らばっていた日記を集めて保管できた。このように、さまざまな偶然が重なったことで、アンネが日々の暮らしを生き生きと綴った原稿が奇跡的にサルベージされたわけだ。ベルゲン゠ベルゼン強制収容所に送られたアンネと姉のマルゴーは飢えと渇きに苦しみ、最後は発疹チフスに罹(かか)って死に至った。娘二人と生き別れになってアウシュビッツ強制収容所にいた母親エーディトは同じ場所にいた夫との面会がかなわないまま息を引き取った。彼女は根っからのケアラーで、「家族を第一と考え、家族につくすことが生き甲斐だった」が、それを象徴するように、遺体が発見された際、毛布の中から「オットーに食べさせ」ようと保管して「石のように固くなっ」たパンがいくつも見つかっている（黒川、一四八頁）。強制収容所から家族でただ一人生還することができた父オットーは、一九四五年六月にアムステルダムに戻り、ミープ・ヒース夫妻のところに身を寄せた。そして、ミープからアンネの日記が手渡されることとなる。

厳密にいうと、アンネは一九四二年六月十二日から一九四四年八月一日まで日記をつけていた。この自筆原稿はバージョン（a）と呼ばれている。しかし、一九四四年の春、ラジオの電波を通じて、文部大臣が戦争後にドイツ占領下におけるオランダ国民の苦しみを記した手記などの公開を検討していると知ったアンネは、他人の目に触れることを意識してバージョン（b）を書き始める。[*6] そしてバージョン（c）というのは、オットーによって一九四七年に刊行された初版である。アンネが最初に書いた日記原稿（a）と初版（c）とのあいだにきわめて重要な齟齬（そご）があることをギリガンは指摘している。ギリガンは、『もうひとつの声で』で展開した議論を再訪しつつ、思春期の少女が成長する過程において、家父長制に同調する「声」とそれまでの関係性を保持する「声」との間でいかに葛藤が生じるかを論じている。[*7] 彼女によれば、少女が成長過程で家父長的な文化に参入するとき、社会的な「名誉と進歩」を勝ち得る代わりに、それまでの家族との関係が断たれるだけでなく、「愛」を犠牲にすることを余儀なくされる。[*8]

ギリガンの議論の主軸は、初版（c）には、自筆原稿（a）に綴られていた重要な記述が欠如しており、そこには編集者のある明確な意図が見出されるというものだ。一九八〇年にオットーが死去し、アンネの自筆原稿（a）がオランダ国立戦時資料研究所に遺贈されてから、一九九〇年代には自筆原稿（a）も統合された「完全版」が各国の翻訳でも出版され、今も世界中に流通している。このように複数の原稿が存在することは知られてはいるが、その背後で、思春期のアンネの葛藤がさまざまな思惑によって歪められていたことはあまり知られていない。筆者も、オットーが「娘の日記の〝枢要〟な部分を、より広範囲な人びとに読んでもらいたいと望んだ」という専門家の説明を無批判に信じてきた。[*9]

しかし、編集過程で削除された箇所をギリガンの分析を念頭において読み直してみると、アンネとエーディトの母娘関係と家父長的な文脈が鮮やかに浮かび上がってくる。[*10]「初版」と「完全版」を読みくらべた作家の小川洋子は「隠されていた部分によって、彼女の魅力が決して変質したわけではな」く、かえって「彼女の魅力を深め、才能をより確かに裏付けていた」と複数の版のアンネ像に矛盾がないことを保証している。[*11]筆者もこの主張にはまったく異論はなく、版の違いによって文学的評価が増減することはないことをあらかじめ強調しておきたい。

3．家父長制への抵抗

ギリガンは、社会化され男性性と女性性に二分される以前の、より中性的な少女時代から、思春期を経て家父長的文化においてこの性規範を内面化する段階まで女性が経験する葛藤を追っている。アンネ・フランクも十三歳からゲシュタポに捕まった十五歳までの思春期の記録を日記に残しているが、それはちょうどアンネが初潮を迎え、《隠れ家》に同居していたペーターという少年に恋をする時期と重なっている。また、一九四四年三月十八日の日記には「赤んぼが胃袋から出てくるんじゃない」といった知識があることや、「処女膜のことやらなにやら、すくなからぬ問題」について書いている。ただし、性に関するこのような記述は、日記が他人の目に触れることを意識し始めたアンネが書き直したバージョン（b）とオットーが編集したバージョン（c）では完全に削除されている。[*12] 邦訳者である深町眞理子も、これらの削除部分について、「性に関するテーマをありのままに記述することはまだ一般的でなく、とくに若い読者向けの書物ではとりあつかうことができなかった」と説明している。つまりオットーは、アンネ自身が世間から隠したいと考え書き直されたバージョン（b）を参考にしていることも理解されるべきだろう（Gilligan, p.118）。

とはいえ、ギリガンが問題にしているのはこの性に関する記述ではない。深町はアンネの記述には母親に向けられた「嫌悪とか好き嫌い、怒りといった感情」がはっきりと表現されているため、父親のオットーが「亡き妻の立場を考慮した」のではないかと好意的な解釈をしているが、[*13] ギリガンはこれとも異なる見解を示している。彼女は家父長的な価値を受け入れる「通過儀礼」（initiation）が思春期に生じ始めるというのだが、そのとき、娘は父親の「声」、つまり彼の道徳的権威に同調するような抑圧の影響下にあるという（Gilligan, p.108）。たしかに、アンネは「ママのことは嫌い」と書き綴る一方で、「パパのためだったら、いくらでも〔お手伝いを〕やってあげられる」と過剰な父贔屓（びいき）である。[*14] 驚くべきなのは、一九四四年二月八日のアンネによる母への深い共感や愛の記述を父オットーが全部消し去っている点である。母に対する怒りの感情を表す箇所でないにもかかわらず、初版に印刷されていないのは、確かに不自然である。その削除された箇所には、オットーがエーディトを「自分にふさわしい妻」と考えていただけで愛がなかったというアンネによる厳しい父親批判もある。すなわち、アンネが母の苦しみに寄り添い、家父長的な価値に反逆していると見てとれる箇所がすべて削除されているのである。父の母エーディトへの態度を見ていると、「理想の結婚とはとても言え」ないとアンネはいうのだ（『アンネの日記　増補新訂版』、三一九頁）。

おかあさんにたいするおとうさんの気持ちは冷めきっています。おかあさんへのキスは、わたしたちほかのみんなにする場合と変わりませんし、おかあさんをよいお手本として挙げることもまったくありません。なぜなら、お手本にはならないからです。**おとうさんがおかあさんに向ける目は、からかうようであったり、ひやかすようであったりしますが、けっして愛情がこもっているとは言えません。**（中略）そのうちいつかはおとうさんも、否応なく気づかされることになるでしょう――おかあさんが、うわべではけっしておとうさんの全面的な愛情を要求することなどなくても、そのじつ内心では徐々に、しかし確実に、ぼろぼろになってゆきつつあることに。おかあさんは、ほかのだれよりも深くおとうさんを愛しています。そしてこの種の愛情が報いられないのを見せつけられるのって、とてもむごいことだと思います。（同、三二〇頁、

太字は筆者）

アンネが日記を書き始めた頃「ママには我慢がならないんです」（同、九三頁）と綴り、「おとうさんがおかあさんに向け」ていた「ひやかすよう」な態度に同調していたが、一九四四年には、さまざまな葛藤を乗り越えて、家父長的な価値によって損なわれていた母親、すなわちケアラーの立場を擁護する姿勢に変わっている。「日記のなかで過激な言葉をぶちまけたのも、たんに内心の憤懣に捌け口を与えていただけです」と自分のそれまでの母に対する怒りの感情を反省的に捉えている（同、二七五頁）。

ギリガンの*Joining the Resistance*という本のタイトルは、社会の抑圧に「抵抗」することを意味するが、それはケアラーの「声」を回復することにも繫がる。家父長的な文化に参入するためには、女性は「葛藤、愛、闘い」、そして「反逆」の精神を棄て去らねばならない（Gilligan, p.145）。アンネがオリジナルの原稿で綴った母への想い――それは初版で削除されたが――はまさにケアラーの「声」を聴こうとする彼女の明確な意思の表れであった。母親嫌悪に抗するには「愛する力」が必要であることをアンネは知っていた。娘がミセス・ベネットのような〝母親〟という役割に過剰適応するケアラーに愛情を抱くことは難しいかもしれない。しかし、だからといって、家父長的な女性蔑視を内面化する必要はない。アンネの闘争はナチスによるユダヤ人迫害に対してだけではなかった。《隠れ家》では母に対する愛の葛藤を抱えていた。「愛する力と精神の全体性という感覚で生きる力を培うためには、家父長的な男女二元論に組み込まれることに抗う力が必要である」というのはギリガンの言葉である（Gilligan, p.109）。アンネのエーディトへの愛と共感力によって、ケアラーを慈しむことと、家父長的な価値に抗することはほぼ同義であると気づかされるのではないだろうか。

2章　エゴイズムに抗する——ヴァージニア・ウルフの『波』

1．ウルフが擁護したケア精神

〈ケアの倫理〉の提唱者キャロル・ギリガンの最近の研究対象のなかに第二次世界大戦のドイツによる占領下のオランダで息を潜めて暮らしていたアンネ・フランクの文学作品があったことは、前章で取り上げた。ギリガンの思想のルーツについて考えるのであれば、『もうひとつの声で』を発表したときに彼女が関心を寄せていた人物も掘り起こす必要があるだろう。つまり、一九八〇年代に彼女が影響を受けたヴァージニア・ウルフ（Virginia Woolf, 1882-1941）である。ギリガンが注目したこの二人の女性は国籍も人種も違っていたが、他者をケアすることについて考えていた点では共通する。そして奇しくも、アンネが《隠れ家》での生活を始めた一九四二年は、ウルフがこの世を去った翌年であり、二人は同時代人でもあったのだ。

アンネもウルフも、人間を戦争に駆り立てる「愛国的な」感情、「他国に対する自国の知的優秀性へのある根深い感情」[*1]とは無縁である。それどころか、強い反感を覚えていた。アンネは、オランダがドイツ国防軍の占領下におかれてからは、地響きを立てる爆撃に震え上がり[*2]、一九四二年の十一月には、ドイツ軍がユダヤ人に対して大量虐殺を行っていたことを日記に綴っている（Müller, p.268）。ウルフは、征服欲から戦争を始めるような男性社会の外にいる〝アウトサイダー〟の女性たちの声を取り上げたが、四十年前のギリガンは、そういう彼女に関心をもったのではないだろうか。「私は祖国が欲しくはないのです。女性としては、全世界が私の祖国なのです」（『三ギニー』、一六三頁）。ウルフは〝アウトサイダー〟の訴えを通して自分の声を響かせている。地球という惑星こそが〝祖国〟であると考える全人類的な視座をもつウルフは、ナチスのナショナリズム、あるいは戦争を煽動するための「ぼくはわが祖国を守るために戦っている」（同、一六一頁）という矮小化された「正義」に真っ向から異論を唱えた。もちろん男性でも命の尊厳を第一に考える同時代人はいた。ウルフは、詩人ウィルフレッド・オウエン（Wilfred Owen, 1893-1918）が戦死して、書くことがかなわなかった詩のためのメモを引用する。「武器というものの不自然さ……戦争の非人間性……戦争の耐え難さ……戦争の恐ろしい残忍さ……戦争の愚劣さ」（同、一一頁）。

　ロシア軍によるウクライナ侵攻が続く現在の状況に目を向ければ、ウルフの反戦思想に賛同せざるをえない。またジェンダー平等という点においては、日本は明らかに立ち遅れている。そして、女性たちはまだまだ〝アウトサイダー〟でいることを強いられている。

世界で日本のジェンダーギャップ指数は一二一位だが、その足を引っ張るのが、日本の国会議員（衆院議員）の女性割合の低さである（九・九％）[*3]。ロシアがウクライナに軍事侵攻を始める以前から一部の自民党の政治家たちは日本の防衛体制を強化しようとしてきた。二〇二一年五月に憲法改正の手続きを定めた国民投票法改正案の早期成立を目指す菅義偉首相（当時）がオンライン集会を開いたが、自民党の下村博文政務調査会長（当時）が、ウルフが警戒したような「正義」を声高に主張している。彼は「国民一人一人の命と財産を守り自分の国を自分で守るために、国会の中で、当たり前のように憲法が議論できる環境を作っていきたい」と言っているが[*4]、菅首相らがめざす改憲が国家の再軍備に繋がりかねないことに警戒する必要はある。そもそも、人命を守るのなら、改憲ではなく、新型コロナ対策に注力すべきではなかったか。

『三ギニー』（*Three Guineas*, 1938）でウルフが紹介する〝アウトサイダー〟たちのなかに、ウールウィッチの市長夫人がいる。彼女は勇敢にも「戦争の手伝いをするために靴下のほころびを繕うほどのことさえしたくありません」と主張した（『三ギニー』、一七三〜一七四頁）。自分たち、あるいは自国さえよければよいというエゴイズムや支配欲に抗うケア精神が顕著に表れている。本章では、ウルフがいかにエゴイズムや個人主義に強い抵抗を感じていたかを彼女のデビュー作『船出』（*The Voyage Out*, 1915）と『波』（*The Waves*, 1931）から読み解き、なぜ後者の作品では、人間が分離・融合する惑星に喩えられ、それらが波動のイメージで描かれるのかについて考えてみたい。

2. なぜ〝今〟ウルフなのか？

発達心理学の領域においては、〝他者との結びつき〟あるいは〝弱い〟自我境界はかつて批判対象でしかなかった。ギリガン以前の心理学者たちの価値観を振り返ると、ケアの営為がいかに軽視されていたかがうかがえる。とりわけ男性理論家たちは、他者の意見に「追随」してしまう女性被験者らを自律的判断が下せない、あるいは「愛憎感情に左右され」るのが欠点として否定的な評価を下していた。*5 他方、ギリガンは他者に「共感」する女性たちの倫理観を〝強み〟として再評価する。この議論の起点が、〝アウトサイダー〟としての女性に着目したウルフの思想であることはあまり論じられてこなかった。

しかし、ウルフが批判している女性に見られる追随と混乱は、彼女が女性の強みとみなしている価値観から派生している。女性の追随は、社会的従属だけではなく、女性たちの道徳的関心の実体にも根ざしている。他人のニーズに対する感受性や、ケアする責任を引き受けることで、女性は、自分よりも相手の声に注意を払い、他人の視点を自分の判断のなかに抱え込んでしまう。（『もうひとつの声で』、八四頁）

個人の「正義」や「公正」とは異なる、ギリガンが注目する「もうひとつの声」は、「他者を排除し感情やケアを放棄するのではなく、むしろ「自分と他者との関係性に対してより正直になり、自身に対する応答性をよりよく持つよう」な声である（同、三〇三頁）。しかし、それによって「ジレンマ」も生じる（同、三〇四頁）。彼女は、「分離、自律、個体化」こそが成熟の証しであると考えた男性理論家たちの主張とは正反対の価値を提唱したのだ（同、九四頁）。

ギリガンがアンチテーゼとした発達心理学者ローレンス・コールバーグ（Lawrence Kohlberg, 1927-1987）の論は、他者との「結びつき」よりも「分離」を強調し、「個人を第一に考慮する」点を前提とした（同、八八頁）。彼の「ものさし」からすると、「道徳性の発達が不十分であるように見える集団の中でも著しいのが女性」である（同、八六頁）。しかし、ギリガンはある女子大の文学の授業で集めた「大学生研究」の対象者の回答を分析した結果、女性たちはアイデンティティを人間関係のなかで定義し、責任と心くばりを基準にして評価し、道徳性も「この女性たちには関係の経験が生じるように見えて」いると報告し、その倫理観を評価している（同、三七〇頁）。

以前は弱点と考えられていた他者への思いやりが「強み」でもあることに着眼していたウルフの思想はギリガンにとって核心に触れるものだったにちがいない。ウルフの作品のなかでも、個別化された自己は否定的に描かれている。たとえば、個人が迷わずに決断を下し、自分のやりたいことをしっかり把握しているというより、他者の気持ちを汲んで葛藤を抱えてしまう主人公が多い。そのジレンマが〈ケアの倫理〉にも通じているのだが、この倫理は今や発達心理学だけでなく、臨床医学、政治学、倫理学、社会学、文学の領域に広く流通している。その証しに、ここ数年で刊行されたケアに関係する書物の数には目を瞠(みは)るものがある。二〇二一年七月には待望のケア・コレクティヴ著『ケア宣言――相互依存の政治へ』（岡野八代、冨岡薫、武田宏子訳）が刊行された。ウルフの小説が研究者だけでなく、一般読者に広く読まれるようになってきているのは、このような言説のリバイバルと連動しているのかもしれない。*6

ただし、モダニズム期の「意識の流れ」の手法を用いたウルフ作品は決して読みやすいとは言えない。明確な「個」の存在感があってそれがプロットを推進させるというより、複数の登場人物たちの流れるように連なった意識を追う語りで構成されている。ウルフの同時代のフェミニストであったドーラ・マースデン（Dora Marsden, 1882-1960）がエゴイズムの「意志」や「自己」を称揚しているが、*7 このマースデンのエゴイズム論に対して、ウルフはデビュー作『船出』で彼女なりの見解を示している。たとえば、主人公のレイチェル・ヴィンレイスには確固たる個性や強力な主体を与えていない（Pease, p.216）。たとえ相手に侮蔑的と捉えられる言葉を投げかけられても、レイチェルはすぐさま態度を硬化させることはない。エリート意識の強いスン・ジョン・アラリック・ハーストは彼女に、思想家ギボンの「価値がわかるようになると思うかい?」と不躾に尋ねている。[*8] レイチェルはテレンス・ヒューウェットに、ハーストを「無礼」だと思ったと打ち明けるが、直後に言葉に詰まっている(『船出』(上)、二七〇頁)。「異なる感情を持っているかもしれない他者との間には深淵」(同、五二頁)が存在することに意識的なヒューウェットが、「男女二つの性の性格についてのレイチェルの一般論を一蹴」するからだ。彼は、ハーストがレイチェルを「傷つけるつもりなどなかった」と考える理由を述べている(同、二七〇〜二七一頁)。ウルフは、リチャード・ダロウェイの「ぼくは妻が政治について語るのを決して許さない」(同、一〇八頁)といった家父長的な態度に対して批判のまなざしを向けつつ、他方では、他者の不可視の内面を独断で決めつけてしまわないことの大切さも示している。他者との関係性において言葉が万能であるとはかぎらないと考えるヒューウェットは、沈黙についての小説を書きたいと言った。彼のその願いを実現させたのがウルフの『波』ともいえる。なぜなら、この実験的小説では、相手を言葉で制圧することではなく、「コミュニオン」(communion)という他者と共有する時間のなかで、互いの意識が交わることに光が当てられるからだ(同、五二〜五三頁)。『船出』では、レイチェルとテレンスが互いに何かを直観する瞬間を愛として表象している。

3.『波』における〝コミュニオン〟

小説『波』では、まさに六人の登場人物のあいだの「コミュニオン」、あるいは集合体のような意識が描かれる。この小説は、男女六人――バーナード、ネヴィル、ルイ、ロウダ、ジニー、スーザン――の独白の断片が滑らかに連続するセクションと、インタールードと呼ばれる太陽や自然の散文詩的な記述が、交互に置かれた構成になっている。七番目の人物として六人全員に愛されるパーシヴァルが登場するが、小説の中盤でインドに渡って落馬し、死んでしまう。[*9] 最後の第九セクションでは、白髪交じりになったバーナードが第八セクションまで（子ども時代から中年期）の「まとめ」を語って終わる。友人五人の意識と「混ざり合って流れてゆくこと」や「様々な元素（エレメント）の再構成」[*10]について触れるバーナードの語りは、近代が前提としてきた「個」を積極的に解体しているともいえる。より現代の文脈でいうなら、コールバーグ的な「自立した個人」とは異なる自己像を創造する小説なのである。

複数の登場人物のテレパシーなのか、一人の登場人物の主体が分化しているのかはあいまいだが、必ずしも言葉を介するコミュニケーションだけが彼らを結びつけるわけではない。だからといって、社会から完全に隔離されたスピリチュアルな世界だけが描出されているわけでもない。六人によって語られる彼らの内面世界からは、女性蔑視や外国人への偏見といったいびつな社会構造が浮かび上がる。ジニーは華やかで社交的で、ダンス好き。女性として自分の外見を意識していて、「自分の全身が見える長い鏡」の前で自分の姿を映し出す（『波』、四六〜四七頁）。ジニーは身体的にもっとも躍動感あふれるキャラクターであるとともに、将来自分に魅かれ、「離れられなくなる」ような男性と語り合うことを夢見るロマンチストでもある（同、五一頁）。スーザンは、幼いころルイにキスをしたジニーに嫉妬する独占欲が強い人物だが、のちに「家じゅう散らかす子どもたちに、うんざりする」、あるいは「子どもたちを庇護」するケアラーとしての側面も見せている（同、二一八頁）。ロウダは「顔がある」ジニーやスーザンと比べ、「わたしには顔がない」と言い（同、四七〜四八頁）、個性のなさという劣等感を抱えて苦しんでいる。これはまさに、のちにコールバーグを始め多くの男性理論家たちが女性の欠点として捉える性質でもある。確固とした「個」をもてないロウダは、コンプレックスを抱え、つねに孤独を感じている。ネヴィルは美意識が強く、繊細である。ルイは優等生だが、オーストラリア訛り（なま）りがあることを気にしている。

この六人が、インドへと発つパーシヴァルのためにハンプトン・コートのレストランに集う。全員が集まったとき、「何か深い、何か共通の感情によって、この親しい交わりにひき寄せられる」。彼らのコミュニオンは、まるで波動のような受動的な力が働いているかのように表現される。バーナードはこの感情を、あるいは波動を、「愛」と名づけている（同、一四一頁）。バーナードは、日々の雑事が人々を切り離すことについても語っている。「個が剝き出しになる。行ってしまった。だれもが何かしらの急用に駆りたてられている。何かの約束とか、帽子を買うとか、つまらぬ用事が、一時あれほど結び合わされていたこの美しい人々を切り離すのだ」（同、一二六頁）。しかし物理的に切り離されていても、彼らは生の時間内で結ばれている。彼は「深いところへ、究極の深み」をめざし、「共感の両腕で全世界を抱きしめたい」と語る（同、一二七頁）。他者と――死者であるパーシヴァルとさえ――繫がっている感覚、他者を思いやる心は、忙しい毎日を送る人々にとって忘れがちなことかもしれない。しかし、バーナードの共感力、あるいは彼の死を悼む心は、かけがえのないものとして読者の目に映る。

『船出』のヒューウェットも繊細で中性的なキャラクターだが、複数の視点を束ねるバーナードも両性具有的な人物として表象されている。レストランでの集いでは、「残忍で凶暴なエゴイズム」を脱却し、みなで「身を寄せ合う」ひとときが描かれる。幼少期にともに過ごした日々を「会えば、思い出す」ことに感極まったバーナードは「涙を隠すために、新しい帽子をぐいっと目深にかぶ」る（同、一三九頁）。この感傷的な気質は当時、哲学者で同性愛の活動家エドワード・カーペンター（Edward Carpenter, 1844-1929）が提唱した「中間的性」のものと重なり合う。ウルフもおそらくは影響を受けたであろうカーペンターのこの議論は、同性愛者たちが「いかに誤解を受けてきたか」と訴えたオスカー・ワイルドの考えに基づいている。[*11] 美意識の高いネヴィルが同性愛者として描かれること、ウルフ自身にも同性の恋人がいたこととおそらく関係があるだろう。カーペンターは、男性が感受性に富んでいるのは、批判されるべきではないと言う（Carpenter, p.22）。彼によれば、「中間的性」の人々の「感受性、子どもに対する無限のやさしさや、花に対する愛、乞食や身体障害者たちに向けられる深い憐みの心は、極めて女性的」なのである（同、p.33）。

カーペンターは、この「中間的性」の愛を「ウラノス的」（Uranian）と呼んだが、プラトンの『饗宴』によれば、この愛は、肉体的な「ディオーネ的」（Dione）愛とは異なり、「天の愛」（heavenly love）と考えられている。[*12] ギリシア神話では「ウラノス」はガイアの息子にして夫であり、星のきらめく天空も象徴する。[*13] マイケル・ウィットワースは、『波』と同時代の宇宙論について考察を行うなか、ウルフがジェイムズ・ジーンズ（James Jeans, 1877-1946）の『神秘な宇宙』（*The Mysterious Universe*, 1931）を読んでいたことを指摘している。[*14] ジーンズが想像する宇宙には夥しい星が動き回っており、冒頭ではそれが「仲間連れになつてゐるのもあるが、多くは獨りぽつちである」と擬人化されている。[*15]「この宇宙に動かぬもの、不変のものなどないんだわ。あらゆるものはさざ波立つ、踊る」（『波』、五一頁）というジニーの言葉は、おそらくウルフがジーンズから着想を得て綴ったのだろう。

ジーンズは、近代物理学においては全物質宇宙が二種類の「波」に分類されると考えていた。「一つは壜詰めの波で我々が物質と呼ぶもの、他は壜詰ならざる波で、輻射又は光と呼ぶものである」（『神秘な宇宙』、九二～九三頁）。バーナード自身の男女六人が精神的に融合するイメージは、おそらく後者の「壜詰ならざる波」であろう。

個が鎮められた瞬間、消し去られ満ち足りた瞬間に、この眩しい光の輪の向こうから、この冷酷な憤怒の連打音の向こうから、寄せてくる潮の、満ちては引くときのため息を聞いたのだ。とてつもない安らぎの瞬間を味わったのだ。（『波』、一三〇頁）

ウルフは、ジーンズの宇宙的な世界観とカーペンターが想像したウラノス的な愛にも霊感を得ていたと考えられる。バーナードの自己像は次のように反芻される。「私はバーナード、ネヴィル、ジニー、スーザン、ロウダ、ルイの話をしてきました。私はこのすべての人物なのでしょうか？　それともひとりの個別の人間なのでしょうか？」（同、三三一頁）。少なくとも、彼は「あんなにも熱く尊重する個（アイデンティティ）は打ち負かされました」（同、三三二頁）と語り、自他の壁だけでなく、男女二元論の壁を乗り越えている。

作家を生業（なりわい）とするバーナードは、ウルフの創造性や両性具有的な人格を象徴しているのかもしれない。また、男女入り混じる視点はウルフが賞賛したロマン派詩人サミュエル・テイラー・コウルリッジらの両性具有性、あるいは、ウルフの『オーランドー』の主人公をも彷彿とさせるだろう。バーナードの「生」と「彼ら」のあいだに隔たりはなく（同、三三一頁）、いわば複数の友人の「生」を包摂しているといえる――まるで宇宙の星が連なるかのように。ジニーが「球形」（同、一六二頁）と呼ぶものには、「海もジャングルも」、そして「またたくこの光も」入っている（同、一六二〜一六三頁）。同時代の読者なら、『波』というタイトルから、もしかしたら「ブリタニアは海（waves）を支配する」という歌詞が含まれるイギリスの愛国歌「ルール・ブリタニア」を想起したかもしれない。しかし、ウルフは、帝国主義を煽動する愛国歌にイメージされるような制覇される「波」ではなく、地球や人間や生物などあらゆるものを貫く宇宙の波エネルギーを連想させる小説を書いた。波は、躍動する生命エネルギーを象徴するものでもある。ウルフや同時代の女性たちが〝アウトサイダー〟として生命の大切さを訴えた時代から、ひとたび現在の状況に目を転ずれば、一部の女性たちは政治家として、つまり「インサイダー」として人の生命を守っている。ニュージーランドのジャシンダ・アーダーン首相は、今回のコロナ危機では、死者のいない段階でロックダウンを敢行するなど、迅速で的確な対応だけでなく、人命を第一に考える政策を導入しながら、感染の抑え込みを成功させた。[*16] ウルフは〝波〟を介した生命の繫がりを文学的に表現することによって、間接的にナショナリズム、戦争、人間のエゴイズムの愚かさを露呈させた。そのウルフの声は、ギリガンが考えていた「もうひとつの声」と共鳴するのではないだろうか。そうだとすれば、日本ではウルフ作品はますます読まれるべきなのかもしれない。

3章　オリンピックと性規範——ウルフの『船出』

ヴァージニア・ウルフの『波』は、男女六人の登場人物の意識が連なる流動的な語りによって、自他の境界線があいまいになる多孔的な自己が表現された実験的な作品である。感情の共有や宗教的または霊的な交わりという意味もある「コミュニオン」(communion)という言葉が象徴するウルフの相互依存の思想は前章で取り上げたが、この概念はケア・コレクティヴ著『ケア宣言――相互依存の政治へ』が殊更強調する「相互のコミュニティ・ケア」の理念――私的な利益や新自由主義の衝動を反転させる価値――とも共鳴する。*1

今ウルフ文学が日本でかってないほど注目を集めるようになっている大きな要因は、彼女の作品がいわば男性的な権力支配に基づく、ケアを女性に押し付ける〝一方向の依存関係〟を批判的に捉え、さらには〝相互依存〟の関係性を生き生きと描いているからだろう。地球という惑星が、新自由主義的な発想から生じる「偏執的で排他的な」志向性(『ケア宣言』、七三頁)、あるいは「権力のある者の命令に従う」論理で動いているかぎり、「世界中のすべての人々のニーズを反映する」ことはできない(同、一五九頁)。なぜなら、自己と他者が互いに配慮(ケア)し合う〝相互依存〟の関係性が実現しなければ、いびつな支配関係が蔓延り、弱者が搾取され続けるからだ。

二一世紀の現在、日本では専業主婦は減り、共働きをする家庭が急速に増えている。女性はすでに自由を手にしているように見える。他方で、家事や育児などの無償労働の男女比では、驚くべきことに、女性が男性の五・五倍行っている。[*2] 制度的平等の下にあっても、女性たちが賃労働や家事労働に圧し潰される現状から抜け出せていないのは明らかだ。もちろん男性が育児や介護を担うこともあるが、市場でも家庭でもケア労働を担わされる――あるいは自ら進んで担う――のは圧倒的に女性の方が多い。女性が他者をケアしながら自己実現の欲求も満たすことができるのか、それは「ケアについての、もっと包容力のある考え方」が社会に浸透するかどうかにかかっている（同、七二頁）。そして、ウルフもまた『三ギニー』で、権力の外側にいる「アウトサイダー」による――他者を傷つけ、征服する戦争を回避しようとする――〝ケア〟の重要性を主張した。彼女は、ヴィクトリア時代の抑圧的な文化のもと女性が抱えていた葛藤に真摯に向き合い、自身の小説のなかに彼女らの姿を映し出した。

二〇二一年の東京オリンピック開催は、医療危機、感染者の爆発的な拡大、ホームレスの人たちの強制退去などを見ても、〝ケア〟に関する想像力が欠如する今の日本の政治を象徴していた。近代オリンピックは一八九六年に始まったが、ウルフの時代にはまだ女性アスリートの参加が阻まれた排他的なイベントであった。一九〇〇年に五種目の競技で女性の参加が許されたが、全体の九九七名のうち女性はたった二二名であった。創立者ピエール・ド・クーベルタンの反対によって、女性陸上競技は一九二八年まで採用されなかった。[*3] 本章では、〝相互依存〟と〝自分らしさ〟の間で揺れる女性の葛藤について書かれたウルフのエッセイ「女性にとっての職業」(Professions for Women, 1942) を手がかりに、先のオリンピックで奮闘した二人の女性選手のアクチュアルな問題について考えてみたい。

1. 働く女性と〈家庭の天使〉の亡霊

ウルフは、女性が家庭の外で職業に就くことの重要性について書いているが、経済的自立が女性の葛藤を解消してくれるわけではないことも強調している。そしてそれは現代社会に生きる女性が抱える問題にも通じるだろう。「女性にとっての職業」というエッセイでウルフは、周りの人をケアすることが常態化している女性が経済的自立を果たしても、過度に「思いやりのある」「優しい」母や妻の役割を引きずってしまうと述べた。すなわち、ケア精神に溢れる人間は、他人の気持ちや願いを優先するあまり、仕事上でも自分らしい選択をすることが困難になる場合がある。

ウルフは、働く女性が〝自分らしく〟あろうとするのを邪魔する〈家庭の天使〉について語っている。ウルフの小説で典型的な〈家庭の天使〉を体現するのは『灯台へ』(*To the Lighthouse*, 1927)の主人公ラムジー夫人で、彼女は子どもたちの要求に耳を傾け、夫をケアすることに奔走する。〈家庭の天使〉は、ウルフに「他の人の考えや願いのために生きるよう、そして「自分なりの考えがあることを誰にも悟られ」ないよう忠告する。[*4] ウルフが書評の仕事に取りかかると、決まって〈家庭の天使〉が姿を現し、耳元でささやくので、とうとう彼女の首を絞め上げて、息の根を止める。ところが、〈家庭の天使〉は何度でも蘇り、亡霊となってウルフの前に現れるのだ(Professions for Women, p.144)。

二〇世紀初頭の女性たちが弁護士や政治家になるのはほぼ不可能だったし、女性の医師も数えるくらいしかいなかった。ウルフは、『自分ひとりの部屋』(*A Room of One's Own*, 1929)で女性が作家になることがいかに困難であったかを歴史的に辿っている。一方、現代の女性たちは、スポーツの分野を含め、ウルフの時代には到底挑戦できなかったさまざまな職業(プロフェッションズ)に就いている。しかし、ウルフが死に物狂いで殺そうとする亡霊は、現代にいたってもまだ浮遊している。

東京オリンピックに出場したスペイン出身でアーティスティックスイミングのオナ・カルボネイ選手は、二〇二〇年息子を出産してからわずか一ヵ月半で競技に復帰したが、インタビューでは、「周りは、私が出産前の状態に戻れるとは思っていない」「子どもを産んで競技に出場するのはまだまだタブーだ」と彼女を取り巻く状況を憂えていた。カルボネイ選手はあたかも〈家庭の天使〉の亡霊を振り切るように「男女平等を諦めたくない」と言い、懸命にトレーニングに励んだ。*5 しかし彼女は、オリンピック出場が決定した後、授乳中の息子を日本に同行させることを許可してもらえないという問題に直面する。二〇二一年の七月には規制が緩和され、同行が許されたものの、コロナ禍の厳しい管理下におかれ、授乳がままならないことが判明した。彼女は引き裂かれる思いで、息子を本国に残して来日したのだった。*6

「コーリング」(calling)とは、キリスト教で神から与えられた使命を意味する言葉だが、現代的な世俗化されたコーリングは、個人がある職業や役割に情熱的に惹かれる状態を指すだろう。恋愛をして結婚し、子どもがほしいと思う気持ちとコーリングを探して努力することは矛盾しない。苛酷な毎日を送るオリンピック選手であっても、両立する道を模索していいはずだ。ウルフは、女性が肉体についてのなにか、情熱についてのなにかについて「本音」を語ったとしたら、男性は「ショックを受けるだろう」と言っている(Professions for Women, p.144)。女性はその反動を恐れて、なかなか「本音」を外に向けて語ることができない。ウルフが今もし生きていたら、さまざまな障害を物ともせず、自分らしい決断を貫くカルボネイ選手に共感し、社会の抑圧に抗う姿勢を讃えただろう。しかし今はまだ、社会がその声に応えられるだけの態勢にあるとは言い難い。

2.「誰かを喜ばすために」ではない選択

これまで多くの女性がスポーツ界に進出してきたにもかかわらず、彼女らが一般人と同じように現役中に育児にも勤しむエピソードはあまり語られてこなかった。それはオリンピック選手の鍛錬の苛酷さを物語ってもいる。ただ、それは彼女らが必ずしも結婚や出産をしないという選択肢をとったということではないはずだ。育児というケアが可視化されてこなかったことの証左ではないだろうか。二〇二一年は、奇しくも、コロナ禍の厳しい規制により、カルボネイ選手のケアラーとしての葛藤が報道され、広く知れ渡ったということなのかもしれない。田中東子は、このようなメディアなどにおける扱われ方、すなわち活躍する女性アスリートは規範的な女性性から逸脱した「女らしくない女」か、あるいは「伝統的な女性」かという対立するイメージだが、第三波フェミニズム以降は、「どちらも兼ねそろえた存在として女性アスリートを称賛する」という新しいフレームで再考されるようになりつつあると言う。[*7]

女性が職業に就くためには経済的な支援が必要であるといったのも、ウルフである。彼女は、作家になるためには「自分ひとりの部屋」と「年収五〇〇ポンド」（現在の価値でいえば数百万円）が要ると語った（同、p.144）。たとえそれだけの条件が揃ったとしても、あるいはいくら才能があっても、女性は家庭に入ってケア労働に従事することを余儀なくされたり、様々な偏見や差別によって妨害されたりする。

ウルフは『自分ひとりの部屋』で、生活が不安定であったジェイン・オースティンやブロンテ姉妹、ジョージ・エリオットらの苦労について書いている。とはいえ、現代では、まだまだ女性の貧困問題は深刻だが、ウルフの時代の女性が抱えていた経済的な問題は大幅に改善されたといえる。少なくとも、二〇二一年の夏、来日した女性オリンピック選手たちは、本国にトレーニングを行う「部屋」とスポーツを続けていくのに必要な「年収」(あるいはスポンサーや補助金)は手に入れている。

しかし、経済的に自立した女性でさえ、ウルフが描写する〈家庭の天使〉のジレンマを抱えていると言えないだろうか。女性たちは職場においても、自己実現のため従事している仕事でも、無意識に周りの人たちを喜ばせようとする自分を発見する。自分はそのために無理をしているのではと自問自答したのは、世界的に有名なアメリカの体操選手シモーネ・バイルズである。バイルズ選手は東京オリンピックに出場はしたが、心の健康に不安があるという理由から途中棄権した。

このオリンピックは自分のための大会にしたかった。ここに来て、まだ他の人たちのためにやっているような気がしました。自分が大好きでやっていたことがどこかに行ってしまい、誰かを喜ばすためにやっているように感じて、心が痛むのです。[*8]

これは、団体戦決勝の後にバイルズ選手が言ったことである。彼女がいくつものメダルを獲得した実力者であることを踏まえれば、ウルフが女性に望んでいた自立の道を切り開いてきた女性だといえる。ただし、「誰かを喜ばすためにやっているように感じ」るという葛藤は、何度も〈家庭の天使〉の亡霊を振り払おうとしたウルフを想起させる。それだけではない。バイルズも何人かの女性体操選手らも、体操チームの元ドクターから性的虐待を受けていたと告白している。彼女はそのことを言葉にすることの難しさも語っている。周りの人たちの期待に応えることを優先するあまり、自分自身をケアできていなかったバイルズが、それまでの過去を顧みることができたのだった。こうして自分自身をケアする判断を下したバイルズ選手は、「自分の健康と幸福を損なうわけにはいかない」と語った。[*9]米国内では「勇気のある決断」と支持する声が多くあがっているが、[*10]女性が自分らしい決断をすることの難しさを物語っている。

3. ウルフが探求した〝自分らしさ〟

バイルズ選手の話に接して、『船出』の主人公レイチェル・ヴィンレイスのジレンマを連想した。小説の冒頭ではレイチェルは世間知らずの若い女性である。彼女は相手の言動について決めつけるような判断をしないが、逆に言えば、それは〈家庭の天使〉のような、他人を無批判に受け入れ、さらには、共感しすぎる性質を備えているということでもある。南米への航海が始まってすぐレイチェルが出会う元国会議員リチャード・ダロウェイとその妻クラリッサは、女性参政権運動家の座り込みの政治行動を面白おかしく茶化すような保守的な夫妻だが、レイチェルは見た目の華やかさや、朗々と話す雄弁さだけでクラリッサを憧れの対象として眺めている。レイチェルは「そっと背筋を伸ばして座っている〔ダロウェイ〕夫人の姿」をうっとり見つめ、「思いのままにこの世と応対している」と理想化したイメージを持つ。*[11]

そして、レイチェルは家父長的なリチャードに対して無批判であるだけでなく、無防備である。彼は、妻のクラリッサが〈家庭の天使〉であることを誇らしげに語る。「友人を訪ね、音楽を楽しみ、子供たちと遊び、家事をし」て過ごす妻のもとに帰ることができることは、彼に「戦いを続ける勇気を与えてくれる」というのだ。また「人間というものは、その体質からして、〔公の場で〕戦うことと〔家庭で〕理想を持つことの両方はできない」という信念から、彼は「妻が政治について語るのを決して許さない」(『船出』(上)、一〇八頁)。ウルフはエッセイでも次のように説明している。男性たちは「くる日もくる日も同じことが」「同じ顔ぶれで」「規則的に」繰り返されることを期待する(Professions for

Women, p.143)。つまり、男性が支配してきた公の場に女性が参加して彼らの世界の調和を乱すことは、リチャードのような男には耐え難いのだろう。そんな人物と二人きりになってしまったレイチェルは、彼に突如「熱烈なキス」をされてしまうのだが、圧倒されて「椅子の中に倒れ」込んでしまい、抵抗も抗議もできない（『船出』（上）、一二九頁）。これは明らかに同意のない性的接触である。

レイチェルは、最初ダロウェイ夫妻に憧れていたが、叔母であるヘレン・アンブローズに感化され、またさまざまな人との交流を重ねていくなかで、「自分なり」に生きることを学んでいく。

> 自分なりの人間性、本当に永遠に続く存在としての自分、海や風のように、他のどの存在とも違い、他と溶け込むことのない自分の姿が突然眼の前に現れ、レイチェルは自分として生きることに深い興奮を覚えた。（同、一四五頁）

ウルフが『波』で表現した自己が他者と溶け合うイメージと相反する自己像である。ヘレンがレイチェルに望んだのは、彼女が思考することであり、そのために本を与えたりした。「何から何まで話すこと、ヘレンの場合男性と話をする習慣で自然とそうなったように、自由気ままに、腹蔵なく話すことが薬だった」（同、二一四頁）。

レイチェルは、後に恋人になるテレンス・ヒューウェットとも長い時間をかけて対話する。次第に人生の学びを深めていく彼女にとって、リチャード・ダロウェイが掲げる男女二元論は限定的に感じられるようになる。女性は必ずしも「家庭」に入るために結婚するのではないことを、読書で経験する想像世界での自由を通して学んでいく。彼女が戦いと敗北の歴史が綴られたエドワード・ギボンの『ローマ帝国衰亡史』を叔父から借りる場面は、その顕著な表れであろう（同、二九七頁）。女性にとって、想像世界に棲む〈家庭の天使〉の亡霊をやっつけるための真の「戦い」に必要なのは読書であるといわんばかりだ。このようなプロセスを経て、レイチェルはテレンスに惹かれながらも、結婚が正しい選択なのか、「自分なり」の思考を研ぎ澄ませていく。ウルフの系譜に位置づけられるアメリカの作家、アクティヴィストのレベッカ・ソルニットも女性の解放は、単に制度の中で男性がしていたことを女性もできるようになることではないと言う。女性が「想像の中でも、真に自由に動き回れるようになること」が彼女らの解放である。[*12]

〝ケア〟とは、他者の物理的、感情的なニーズに応える行為だけを指すのではない。「生命の福祉と開花にとって必要なすべての育成を含んだ、社会的な能力と活動」である（『ケア宣言』、九頁）。ウルフが「女性にとっての職業」でもっとも強調したのは、職業を持つ女性にも、他の人の考えや願いに共感しすぎる〈家庭の天使〉を深く内面化してしまう傾向があるということだ。ケア精神に溢れる人間はしばしば周りの人間の期待や要望に応えようとして自己犠牲的な選択をすることがある。そういうとき、周囲を喜ばせるため自分が我慢しすぎていないか自問自答することも必要かもしれない。オリンピックに参加する女性選手の割合は、一九六四年に一三%、一九八四年に二三%、二〇一二年には四四%にまでなった。[*13] かつて参加選手のほとんどが男性であった時代、育児の葛藤で悩む選手はほとんどいなかっただろう。スポーツ選手にかぎらず、いかなる職業においても、ケア労働について再考がなされるときが来ている。ケアを女性だけが家庭で担うべき営為として捉えるのではなく、男性も、公的領域も、その負担の一端を担うことができれば、女性の「社会的な能力と活動」が阻まれることもなくなるだろう。そうすれば、〈家庭の天使〉の亡霊もいつか消え去ってくれるはずだ。

4章　ウルフとフロイトのケア思想 1

――『ダロウェイ夫人』における喪とメランコリー

1. ウルフのフロイト問題

ジークムント・フロイト（Sigmund Freud, 1856-1939）が、ごくごく日常的な文脈で言及されることがあるとすれば、それは誰かが「フロイト的失言」（Freudian slip）をしたときであろう。欧米社会では、本人でさえ意識していない「無意識」に内在する感情が言い間違いを引き起こすことを言う。おそらく過去にもっとも反響が大きかった失言は、米ブッシュ政権下で大統領補佐官を務めていたコンドリーザ・ライスが大統領を「夫」と言い間違えたケースではないだろうか。「無意識」（unconscious）とは、心的過程のうち意識には浮上しない抑圧された領域のことを示すが、ライスがブッシュにどのような感情を秘めていたのか――あるいは、負の感情なのか――色々と想像をめぐらせるところである。最近でいうと、ＩＯＣのバッハ会長が東京オリンピック・パラリンピック組織委員会の橋本聖子会長と面会した際に「日本人」と言うところを「中国人」と言い間違えたことが取り沙汰されているが、果たしてこれが「フロイト的」かどうかは議論の余地がある。*1

こういった「失言」の代名詞として流通してしまう固有名詞とは違う〝人間〟フロイト、あるいは〝精神分析家〟フロイトについて考えてみたい。彼はヨーロッパ思想を支配した近代理性主義への根底的な批判として「無意識」の思想を確立した。第一次世界大戦の大量殺戮のあとの混迷を極める歴史的文脈のなか、人間の心理の奥底に何が横たわっているのか――愛(エロス)の欲動なのか、死(タナトス)の欲動なのか――を探究し続けた人物である。ロンドンのマレスフィールド・ガーデン二十番地――ここはフロイトが終(つい)の住処(すみか)とした場所だが、今はフロイト博物館になっている。筆者が渡英する度にこの場所を訪れるのは、実在したフロイトが生きた形跡に触れたいと思うからだ。フロイトの精神分析理論と文学を教える授業でも、フロイトの家の話はよくするが、学生の反応もよい。

フロイトがクリニックとして使っていた広い書斎には、ペルシャ絨毯のラグを敷いたソファがあり、おそらく患者はそこに横たわって自らの「無意識」をフロイトに向けて解放したのだろう。書棚には、フロイトの幅広い知識を垣間見せる、たとえば考古学などの本がぎっしり詰まっていて、別の棚や重厚な机には、彼が蒐集していた彫刻のオブジェがところ狭しと飾られている。二階には、児童精神分析の第一人者として活躍した、フロイトの娘アンナの部屋もある。一階の玄関に戻り、奥の暗い部屋をいくつか抜けると庭があり、眩(まばゆ)いばかりの芝生の緑が目に飛び込んでくる。フロイトはその庭に友人であるヴァージニア・ウルフや夫レナードを招き入れ、歓談したのだろうか。彼らは長年仕事のパートナーであったが、意外なことに、ウルフは晩年まで彼の著作を読んだことがないと公言していた。

ここからの二章では、「ウルフとフロイトのケア思想」をテーマに、この謎に迫ってみたい。本章は、フロイトの「無意識」と「喪とメランコリー」がどのようなルートでウルフのケア思想に流れ込み、創作のための素材やテーマとなっていったのかについて考える。次章では、なぜウルフがフロイトの著作を敬遠したのかという問いをめぐって、彼女の伝記的な逸話を掘り起こしていく。フロイトの精神分析理論の核心部には、この時代特有の負の「男らしさ」、そしてそれと矛盾するような「多孔性」という相反する性質が見られるが、戦争体験を経て後者の〝ケア〟へと傾いていく彼の思想の変化も見て取れる。

2. 「外面」ではなく「内面」を描く――〝心理学の暗い場所〟

フロイトがいたウィーンにナチスが侵攻したのは一九三八年三月。すでにガンに冒されていた彼は亡命を躊躇したが、弟子や多くの人たちの勧めでついにロンドンへの移住を決意する。そのときにイギリス人の友人として支援し、彼のロンドンの自宅を訪れたのがウルフ夫妻である。意外にも、ウルフがフロイトの著作を読んだのは、彼がイギリスに亡命した翌年であり、[*2] そうなると彼女の代表作『ダロウェイ夫人』(*Mrs Dalloway*, 1925) や

『灯台へ』が書かれた時点ではまだ読んでいなかったことになる。たしかに、ウルフの一九三九年十二月二日の日記には、「ゆうべフロイトを読みはじめた。周辺をひろげるため。私の脳にもっと広い範囲を与えるため」[3]と綴られている。

とはいえ、フロイトの「無意識」という概念なしに、果たしてウルフの「意識の流れ」の語りの手法は生まれただろうか。さらには、彼女と夫レナードが立ち上げた出版社がフロイトの著作を出版していたことも重要であるように思われる。一九二二年に彼女らのホガース・プレス（以下、ホガース出版とする）から刊行されたフロイトの著作としては、『集団心理と自我の分析』（*Group Psychology and the Analysis of the Ego*）や『快原理の彼岸』（*Beyond the Pleasure Principle*）などがある。[4]たとえウルフが一九三九年までフロイトの著作を熟読していなかったとしても、精神分析の知識にまったく触れなかったとは考えにくい。にもかかわらず、ウルフはなぜ一九三〇年代より以前は読んでいないと言い張ったのだろうか。また、一九二〇年代にウルフが精神分析や精神分析家たちを「激しく批判していた」という証言もある。[5]

じつは、ケアの倫理論者キャロル・ギリガンもフロイトに対して批判的であった。そして、「明晰なエディプス・コンプレックス解消を志向しない」ため、女性は自律という観点から不完全であると考えたフロイトをギリガンは批判対象とし、[6]ケアや相互依存に光を当てたのだ。ギリガン以外にも多くのケアの倫理の擁護者たちが、女性は先天的に〈正義〉に対する関心が低いと考えたフロイトを批判している。[*7] ウルフがギリガンのケア思想の源流であったことと、ウルフのフロイト理論に対する強い警戒心は地続きなのかもしれない。ただし、フロイトの精神分析には、自律や強さを目指そうとする〝超自我〟志向とは異なる、リビドー（＝欲動）を引き受ける側面もあり、じつは両義的ということも重要ではないだろうか。第一次大戦を経て書かれた『快原理の彼岸』はまさにその象徴的な著作である。彼が発見した「無意識」とは、ケアや〈生の本能〉の源泉と、破壊性や攻撃性といった〈死の欲動〉の両方を孕むのである。

フロイトの「無意識」とモダニズム期の「意識の流れ」はやはり分かち難く結びついている。[*8] ウルフのデビュー作『船出』や『波』の登場人物のそれぞれの意識に作用する無意識の移り変わり——不安、孤独、痛み、歓喜、苦しみなど——や流動的な自己も、ある意味、フロイト的といえる。それに、フロイトの精神分析の強烈なインパクトなしに「無意識」という概念が二〇世紀初頭のイギリスで人口に膾炙（かいしゃ）することはなかっただろう。ウルフたちのホガース出版もそのプロセスに大いに貢献していた。彼女がメンバーとして属していたブルームズベリー・グループのほぼ全員が「フロイトの理論に夢中になっていた」とも言われているほどの熱狂ぶりである。[*9] このことは『ダロウェイ夫人』の草稿段階で、ウルフがヒュー・ウィットブレッドという登場人物に「フロイトについて聴いた」という台詞をわざわざ言わせていることからも汲み取れる。[*10]

サンジャ・バーフンによる最新の研究によれば、ウルフはイギリスで話題になっていた精神分析の論争について最低限の知識はあったという。一九二〇年代にはすでに精神分析理論は書評や新聞などいたるところで取り上げられていた。[*11] 一九一九年に書かれた「現代小説論」(Modern Fiction) というエッセイからも、ウルフのその知識がうかがえる。このエッセイは、精神分析的な語彙やイメージが多く、ジャニス・スチュワートは「精神分析の要約」とまで評している。[*12]

〈現代に生きる小説家〉は自分が関心をもつ問題は、もはや「これ」ではなく「あれ」であると、勇気を出して言わねばならない――「あれ」によってのみ作品を構築しなければならない。現代〈モダニズム期〉の作家にとって、「あれ」(中略) は心理学の暗い場所に発見されるだろう。[*13]

この「心理学の暗い場所」(dark places of psychology) はおそらく「無意識」のことを指している。ウルフが「マテリアリスト」(materialists) と呼ぶ作家たち――H・G・ウェルズ、ジョン・ゴールズワージー、アーノルド・ベネット――は人間を〈外面〉からしか描かないとして批判されている。他方、ウルフは、自分を含め、人間の〈内面〉や無意識に関心のある小説家――ジェイムズ・ジョイス、D・H・ロレンス、E・M・フォースター――を評価している。引用の「これ」(this) というのは、可視化される物質を作品に描く「マテリアル」な世界で、「あれ」(that) というのは、不可視の内面世界、つまりフロイトが「無意識」と呼ぶ場所である。このエッセイで、ウルフは自分と同じ内面の世界を描くジェイムズ・ジョイスを「スピリチュアル」(spiritual) な作家であると評している (Modern Fiction, p.11)。

3. フロイト受容――『ダロウェイ夫人』

ウルフの多孔的な、あるいはスピリチュアルな自己像と共鳴するのはフロイトの「無意識」だけではない。多孔性という観点からすると、彼の「喪とメランコリー」(Mourning and Melancholia, 1917) もまたきわめて重要な論文である。何かしらの理由によって、愛する者の死を悼むことができない、あるいは、その感情が閉ざされてしまうという経験はウルフ自身もしている。彼女は母親ジュリアの死をきっかけにして、肉体だけでなく精神にまで影響を及ぼす病に何度も苦しめられる。十三歳から三十三歳の間に四回も発作が起きており、一回目は、一八九五年に母が他界したときであった。[*14]

その後も、ウルフは家族に悲劇が降りかかる度に、幻覚、鬱病、頭痛、高熱、インフルエンザなど様々な症状が生じるようになった。[*15] ジリアン・ギルの最新の研究は、ウルフの

「鬱病（メランコリー）」の発症を、母の遺体との対面に結びつけている。母の死に顔を見たウルフは、「彼女〔母ジュリア〕の顔は計り知れないほど遠く感じられ、虚ろで、表情は硬かった」と語っている。その後すぐ、彼女は幻覚を見るようになる。「お母さんを見ると、その隣に男の人が座っているの」と姉のステラに告白している。[*16]

もちろんいくつもの要素が複雑に絡まり合って「鬱病」に罹ったと考えられるが、ウルフが愛の対象である母親を喪ったこと、そしてその母親への固着が揺るぎなかったことに注目する研究は重要である。そして、このことがフロイトの「鬱病」についての記述を想起させる。誰もが直面する、愛する者の「死」という打撃を受け、病を引き起こす可能性があるというその心的メカニズムは、以下のとおりである。人間は、「失われた対象との結びつきから、すべてのリビドー〔欲動〕を解き放つべきである」と認識しながらもそれに抵抗しようとする。

> そもそも人間は、自分のリビドーのポジションを変えたがらないものだ。新たな対象から誘われたとしても、抵抗しようとすることは、よく観察されることである。この反抗がきわめて強くなると、その人は現実から目を背け、幻覚のうちで願望と現実が入り混じる精神病のような症状のもとで（中略）対象に固着することもありうるのである。[*17]

ウルフ自身が、フロイトによって示された「精神病」とよく似た症状を発症していたことはきわめて重要である。

ウルフの『ダロウェイ夫人』は、ある意味で、その喪失体験を語った物語だと言える。主人公クラリッサ・ダロウェイを中心として、六月のある日の午前十時ごろから夜に開かれるパーティが終わるまでの間に起きた出来事を意識の流れの手法を用いて描いている。ダロウェイ夫人は、ロンドンの上流階級で華やかな生活を営む五十一歳の女性であるが、当初の予定では、彼女は小説の終わりで自殺するか、突然死することになっていた。それが、最終的には彼女と何の接点もない登場人物が、彼女の「分身」として自殺するプロットに変わったのだ。[*18] その人物というのが、ダロウェイ夫人とは階級も違い、現実生活でも相交わることのない、副筋の主役で帰還兵のセプティマス・ウォレン・スミスである。ダロウェイ夫人が「わたしは逃れた。だが、あの若い男は自殺したのだ」とセプティマスの運命を自分の運命と重ねる語りからも、分身性が表現されている。実は華やかな世界に住む主人公の「心の底」にも、セプティマスと同じような「恐ろしい恐怖があった」[*19]。この小説には、ダロウェイ夫人の昔の恋人ピーター・ウォルシュ、夫のリチャード・ダロウェイ、娘のエリザベス、エリザベスの家庭教師のミス・キルマン、旧友のサリー・シートンなど、様々な登場人物が現れるのだが、セプティマスはそのなかでも特別な存在である。

彼はシェル・ショックの心因性疾患を患っている。

ウルフは一九二三年六月十九日の日記では、「この本でわたくしは生と死、正気と狂気を描きたい」と書いている。[*20] また、一九二四年八月十五日には「セプティマスを忘れているわけだが、彼こそ大へん強烈な、むずかしい問題なのだ」とこの登場人物の重要性に言及している。[*21] ここでの「狂気」とは、セプティマスのことを指しているわけである。

これまで、『ダロウェイ夫人』における死が論じられる際には、セプティマス自身の自殺が注目されてきた。しかしフロイトの「喪とメランコリー」というテーマで読み直してみると、じつはもう一つの重要な死が見過ごされていることに気づく。それはセプティマスが戦場で一緒に戦った上官のエヴァンズの死である。

戦場に行く前は弱かったセプティマスも、戦争で男らしさを増していった。しかし、その獲得した男らしさに逆行するように、セプティマスはエヴァンズに肉体的に惹き付けられていく。エヴァンズが亡くなったとき、セプティマスは公にその死を悼むことができなかった。それは、異性愛という性規範から逸脱してしまうからだ。そして、それによってその感情が閉ざされてしまう。[*22] このセプティマスが感情を抑圧する場面は、ウルフがひときわ精神分析的であったことを感じさせる。セプティマスが苦しんでいる症状というのは、フロイトがいうところの「対象喪失の後で、同じような仕事が心のうちで実行されている」という「鬱病（メランコリー）」の症状とまるでそっくりである。その根拠となる次のような場面がある。

灰色の服を着た男が実際彼らの方に歩いてきた。エヴァンズだ！　だが体に泥もつかず、傷もなく、変っていなかった。全世界に話さなくちゃとセプティマスは手をあげて叫んだ。（灰色の背広を着た死者は近づいていたのだ。）（『ダロウェイ夫人』、九〇頁）

セプティマスは、エヴァンズの幻覚を見ていた。彼の無意識は、〈外面〉の「マテリアル」な世界を離れ、〈内面〉で「喪の仕事」、あるいは死者へのケアに従事しようとしているのである。

興味深いことに、ウルフは『ダロウェイ夫人』に、フロイトを彷彿とさせる著名な精神科医のサー・ウィリアム・ブラッドショーを登場させている。彼はセプティマスの主治医である。しかし、ブラッドショーは、ダロウェイ夫人の目には「礼儀正しいが、何か名状しがたい悪逆ができる」、あるいは「人の魂を強制する」人間として映っている（同、二三七頁）。果たして、ブラッドショーはフロイトなのだろうか。セプティマスの妻のルクレツィアを含む世間の人間はセプティマスを「おかしい」（同、八五頁）、すなわち「異常」と考える。しかし、愛する死者に固着することで発症する鬱病に対して、フロイトは限りなく愛情深いまなざしを向けている。

死を悼むことは精神の病のように見える場合もあるが、フロイトの立場というのは、愛する者を喪った人間が、喪う前と同じようにしている方がかえって「異常」に見えるという考えであった。どうもブラッドショーとフロイトの人物像はまったく違っているようだ。フロイトの論文を読むかぎりにおいて、鬱病を患う――ウルフやセプティマスのような――人たちに対する彼の言葉はケアに満ち、深い共感を呼ぶ。ただし、もしウルフがフロイトの論文を読んでいなかったとすれば、彼のどのような考え方を根拠に「激しく批判した」のであろうか。一九三九年以前に彼女が知り得た知識に基づくフロイトのイメージは二極化していたのかもしれない。ギリガンも、フロイトの「エディプス・コンプレックス」におけるジェンダーの非対称性を批判しているが、ウルフもまた彼が前提とした「男らしい」自己像に対して強い警戒心を持っていたことだろう。[*23] 彼女自身が受けた性被害がトラウマとなり、とりわけ負の「男らしさ」への嫌悪や恐怖は誰よりも強かったからだ。このテーマについては、次章で扱うこととする。

5章　ウルフとフロイトのケア思想　2——『存在の瞬間』におけるトラウマ

1. フロイトの両性性

ヴァージニア・ウルフと夫レナードはイギリスでホガース出版という出版社を立ち上げ、ジークムント・フロイトや彼以外の精神分析の本も多数出版していた。前章では、フロイトの無意識とウルフの作品に特徴的に見られる「意識の流れ」の語りの手法が分かち難く結びついていることを指摘しつつ、彼女がいかにフロイトの思想に影響を受けていたかについて書いた。[*1] ウルフ自身も苦しんだ鬱病(メランコリー)が、最愛の母の死後、その死者に固着することで発症した可能性についても論じた。また、フロイトが「喪とメランコリー」という論文をとおして、他者の苦しみに深い理解を示していたことも汲み取ることができる。フロイト自身は、「自分を完全に男性的な存在であり、女性的な要素や母性的な要素のない存在であると信じたい気持ちを持っていたようである」が、[*2] 彼には「両性性」に基づく発想があり、かつ彼自身も両性的であったのではないだろうか。両性性とは、人が性別に関係なく、もともと男性的性質と女性的性質をあわせ持っているという発想である。[*3] フロイト自身も男性でありながら、ケア精神をもつ精神分析家であったと筆者は考える。
ウルフ自身、フロイトの著書出版という仕事上のパートナーであり、また彼のケアの思想にも影響を受けていたにもかかわらず、なぜか晩年の一九三九年まで彼の著作を読んだことがないと公言していた。一九二〇年代にウルフが精神分析や精神分析家たちを「激しく批判していた」という証言もあり、彼女がフロイト理論を公然と擁護していたことを示す記録はない。[*4] このようなウルフの矛盾をどのように理解すればよいだろうか。彼女の警戒心とも呼べる態度は、おそらく精神分析に男根一元主義の一面があることと関係があるだろう。

精神分析理論や発達心理学では、男性により特徴的とされる「超自我」(superego)や強い「個」が高く評価されてきた。ローレンス・コールバーグは、「個」の分離を強調し、「個人を第一義的なもの」であると考え、他者への従属性や依存を道徳性の発達の「欠陥」として捉えた。反して、ケアの倫理論者キャロル・ギリガンは、彼のこのような前提を批判した。彼女は、コールバーグの、女性にしばしばみられるとする他者への「従属性と混乱」を倫理的な「強み」と捉え直したのだ。そして、ギリガンが自他の結びつきを評価するきっかけとなったのが、ウルフの思想であった。[*5]

ギリガンの価値観は、個人が競合して強さを手に入れるフロイトのエディプス・コンプレックス論、あるいは、公平な裁判官のような形式的、抽象的な思考でもって諸権利に正しい優先順位を割り当てたりするコールバーグの正義の倫理論とは完全に袂を分かっていた。ウルフの思想も、ケアの倫理も、互いが依存し合い、責任をもち合い、誰も取り残されたり、傷つけられたりしないことを前提とするからである。

つまり、ウルフが『ダロウェイ夫人』に登場させた著名な精神科医のサー・ウィリアム・ブラッドショーは、ウルフなりの精神分析理論の男根中心主義批判だったが、必ずしもフロイトその人への批判ではなかっただろう。彼女が、セプティマス・ウォレン・スミスという帰還兵の主治医であるブラッドショーを「礼儀正しいが、何か名状しがたい悪逆ができる」、あるいは「人の魂を強制する」人間として表象するのは、その権威主義的な言動によって人が傷つけられうる可能性を示したいからだろう。[*6] ウルフが、ギリガンのケア思想の源流であったことと、ウルフの精神分析理論に対する留保はおそらく地続きである。ギリガン同様、ウルフもフロイトのエディプス・コンプレックス論やペニス／ファルス中心主義への忌避があったのではないかと思われる。本章では、ウルフの「病気になるということ」(On Being Ill, 1926) というエッセイや、彼女自身が自分の過去を綴った『存在の瞬間』(*Moments of Being*, 1976) を読み解くことで、ウルフの病や性被害とフロイト理論への忌避を理解できればと思う。

2. マッチョな「超自我」へのウルフの警戒心

エディプス・コンプレックスという概念は、よくも悪くも、男性と女性の性質を形作ってきた文化の解剖図としても読めるだろう。ギリガンを含む多くのフェミニストにとってみれば、ペニスという生物学的なものに基礎づけられる。それは男児の女児に対する優位を表し、男児が女性におけるペニスの不在に気づくとき、「去勢不安」をもつ契機ともなる。他方、ペニスを持たない女児は父親に対して「ペニス羨望」をもち、それが母親への失望にも繋がる。

母を独占したいという息子の願望が、父親を排除したいという気持ちに向かわせるが、父は自分よりも強い存在（＝ファルス／ファリックなもの）を象徴する。男児がエディプス・コンプレックスを解消することとは、母の夫となるのではなく、母に類似している女性を見出して、父と同じ立場になる、つまり「超自我」の形成という成長過程を経る。家父長的な性役割にかかせない父、母、子の構成員が、それぞれ〝強い〟〝マッチョな〟「男らしさ」と〝優しい〟〝愛情深い〟「女らしさ」を備えていくプロセスが物語として語られ、反復されるための、ある意味、ステータス・クオの維持装置でもある。そしてクローディア・カードなどの批評家は、この理論は家父長的権力関係の単なる解剖図なのではなく、女性抑圧の根源であると主張する。[*7]『灯台へ』において、ウルフがラムジー氏の「男らしさ」、ラムジー夫人の「女らしさ」という二分法的な性規範を描くのも、[*8]家父長的な文化を象徴的に表すエディプス・コンプレックス論への風刺とも読み取れる。

フロイトの精神分析理論には、女性は男性に比して「緩和的に形成され」た超自我しかもてないという差別的な視点があったことが数多くの女性理論家たちに指摘されている。「去勢コンプレックスでエディプス・コンプレックスを完全に卒業し、成熟した超自我を手に入れる男性に対して、女性は去勢すなわち劣等性の自覚や断念をきっかけに特有の精神発達をたどり、ペニス羨望からエディプス状況にむしろ入り込み、その断念を迫られる経験を経ぬままその中に留まり続ける」から「超自我の形成は損なわれざるをえず、（中略）ふさわしい強さと独立性に達することができな」いと考えられていたからだ。[*9]

ギリガンも、男性が成長過程で身につける「超自我」を女性が獲得するのは困難であると考えたフロイトを批判している。

> フロイトは、女性は、「男性よりも正義感に欠け、人生の大きな危機をなかなか認めたがらず、判断に際し往々にして、愛憎感情に左右される」と結論づけた。（『もうひとつの声で』、六四頁）

女性には「明快なエディプス解消への起動力」が備わっておらず、不完全であると女性性の価値を貶めるフロイトのモデル自体をギリガンは評価しない。そして、それはウルフが目指したものでもなかった。ギリガンもウルフもこの「個」で完結されない不完全さ、「他人の価値観や意見への追随」(同、八二頁)を「女性の強み」として再評価した(同、八四頁)。ウルフは、フロイトの超自我に基づく「正義感」のみならず、彼女の周りにいた男性たちから、同様の「男らしさ」を嗅ぎ取っていたのかもしれない。

　ウルフのエッセイ「病気になるということ」を読むと、そのような負の「男らしさ」を批判するまなざしがある。そして、彼女が仮想敵とするものがフロイトや精神分析そのものであるというより、『ダロウェイ夫人』のブラッドショーという精神分析家に体現される共感の欠如や権威主義的な態度であることも理解できる。ウルフは人生で何度も病に罹っているが、「横臥する」(recumbent)病人になってみて、病人の想像力の豊かさ、「率直な物言い」、繊細な感受性を発見し、評価した。他方で、見舞客や看護者たちのいわば「警察」のような「直立人」(upright)の感性の貧弱さを批判的に捉えている。[10]「健康なときには意味が音を侵食し(中略)知性が五感を支配している」が、「病気のときには警察も一休み。マラルメやダンの難解な詩や、ラテン語やギリシャ語のフレーズの下に潜りこむと、言葉は香りを放ち、美味しそうな匂いを発する」[11]。ウルフは、このような想像力を喚起する横臥者の視点を称揚しつつ、「警察」のような直立人の視点、あるいは、マウントをとる男性的な態度を揶揄するのだ。

3. ウルフの外傷(トラウマ)と自己肯定感の喪失

ウルフの日記からは、彼女がいかに「直立人」とも呼べる男性たちを忌避していたかが分かる。もちろんウルフの最大の理解者であり、彼女に寄り添う看護者であった夫レナードは当然除外されるのだが、ウルフの日記や、彼女が自分の過去を綴った『存在の瞬間』などに描写される身近な男たちは彼女にとって、思いやりの欠如した「直立人」的な人間、あるいは性暴力の加害者であった。

まず一人目として、シドニー・ウォーターローという人物を挙げる。ウルフは日記で「シドニー」に触れている。一九二二年八月二十二日の日記には、この男性が彼女の自己肯定感をいかに損なっていたかを記している。「シドニーがやってくると私はヴァージニアになってしまう」(『ある作家の日記』、六九頁)。シドニー・ウォーターローと八月に会ったとき、以前、他の男性が彼女に向けた酷評――つまり「単にばかげた」書き物、「そんなもの誰も読まない」といった辛辣な言葉――を繰り返したのだという。[*12] これがきっかけで、彼女の創作意欲が萎縮してしまう。

レナードとヴァージニアのホガース出版で働いていたラルフ・パートリッジという男性

も典型的な「直立人」である。[*13] パートリッジも「思いやりに欠ける人々」(unsympathetic society) の一人で、ウルフは彼を「暴君」(“despot”) と形容した。彼は、作品の長所を褒め、人を精神的に支える能力に欠けている。[*14] こうして、負の男性性を体現する人物が何人も登場する。ウルフの日記の研究を重ねてきたバーバラ・ラウンズベリーによれば、一九二二年の日記を書くことによって、これらの「思いやりに欠ける」男性の声を、彼女の「中立」の領域である「思考」に置き換える努力をしているのだという。また、ウルフは日記に積極的に彼女自身の「女性の声」を書き込むことで自己肯定感の減退を乗り越えようとした。「彼らと縁を切るべきなのか」「勤勉な女性を〔代わりに〕雇うべきなのか」と自問自答し始めるのも、日記の中でである。[*15] そして、同年、実際にホガース出版では、マージョリー・ジョウドという女性がパートリッジの代わりに雇われるのである。[*16]

ウルフの自己肯定感を決定的に損なうことになった外傷は、彼女の体で「性的探究」をした異父兄弟ジェラルドとジョージ・ダックワースによってもたらされた。ウルフの晩年の作品『波』にも、自己像があいまいな女性ロウダが登場するが、彼女は劣等感に苦しめられたウルフと重なる。ロウダは、「スーザンの肩越しに鏡に映っている」自分の顔を見るや否や、「さっと首をすくめて彼女の背に顔を隠そう」とする。「だってわたしはここにいないんだもの。わたしには顔がない。ほかのみなには顔がある」(『波』、森山恵訳、早川書房、二〇二一年、四七頁)。

『存在の瞬間』には、ウルフ自身による性的外傷体験についての精神分析的な記述がある。これは晩年ウルフが書いたものであり、外傷を受けた苦しみと文学とのかかわり合いが表れている。[*17] たとえば、彼女の自己肯定感が削がれた象徴として「鏡の中の自分」が語られる。「こうして私はホールの鏡の中の自分を見つめているところを見つけられたときに感じたあの恥ずかしさの中に、もうひとつ別の要素を見つける」と語るウルフは、「自分自身の身体を恥じた」とまで述べている。その続きを読むと、次のような驚愕すべき出来事が綴られている。

食堂のドアの外に皿を立てかけるための棚があった。私がとても小さかったころ、ジェラルド・ダックワースが私をこの上にのせ、そこに私が座っているときに私の身体をまさぐり始めた。洋服の下へ入りこんでくる彼の手の感触を、思い出すことができる。断固として着々と下の方へ下の方へ進んでいく手の感触を。彼がやめるように私はどんなに望んだことか、彼の手が私の陰部に近づくにつれて、どんなに私が身をこわばらせ、あがいたかを憶えている。しかしそれは止まらなかった。彼の手は私の陰部までも探った。私はふんがいし、それを憎んだことを思い出す——そのような口では言い表わせないさまざまな感情を何と言ったらよいだろうか。今もなおまざまざと思い出すのだから、それは強烈な感情だったにちがいない。このことは、身体のある部分についての感情——どうしてその部分は触られてはならないか、それを人に触らせることはどうして間違っているか——は本能的であるにちがいないということを示しているように思われる。（『存在の瞬間』、出淵敬子、塚野千晶訳、一〇五頁）

幼少期のこの体験後、ウルフはこの外傷の苦しみから解放されることはなかった。かなり長いこと、ウルフはもうひとりの異父兄弟ジョージ・ダックワースによる性被害を受けていた。

加害者のジョージは、人前では巧みに「善良な兄の役を演じ」ながら、家ではウルフに対しては、絶対的な暴君であった。ウルフがパーティに出席したくないと抵抗しても、「君は意見を言うには、まだ若すぎるんだよ」と言い、さらにはウルフを「我儘だ、心が狭いと非難した」。家族のなかで弱者であったウルフは「彼の望みにどう抵抗できたろうか」と自分の無力さを嘆き、敗北感を感じていた（同、二〇八〜二〇九頁）。これがのちに『自分ひとりの部屋』という著作の原動力にもなったのだろう。また、ウルフのトラウマの原因となったであろう出来事も詳述されている。

ほとんど眠りかけていました。部屋は暗かったのです。家じゅうが静まり返っていました。そのとき、ひそかにきしむ音がして戸が開き、用心深く歩きながら誰かが入って来ました。「だれ」と私が叫ぶと、「驚かないで」とジョージが囁いたのです。「明かりをつけないで、おお、いとしい人、いとしい――」そして彼は私のベッドに身を投げて、私を腕に抱きました。（同、小川静代訳、二四六頁）

ウルフは身近にいる暴君たちに抵抗できないまま、自己肯定感を削がれたり、性的搾取の被害に遭っていた。ジョージとの関係は彼女が二十二歳になるまで続いた。

フロイトは人間には「同一性」の欲動と「破壊性」の欲動が共存していると考えていた。*[18] 前者は、保持し統一しようとケアする性質、もう一つは攻撃本能で、破壊し侵害しようとする性質である。彼は、「人間のあいだに大きな共通性を作りだすものは何でも、こうした一体感を、同一化を生みだすのです。人間の社会もかなりのところまでは一体感の力で存立しているのです」（『人はなぜ戦争をするのか』、三一頁）と述べ、人間の相互ケアを信じる部分があった。他方で、「人間の攻撃的な傾向を廃絶しようとしても、それが実現できる見込みはないという結論」に至っている（同、三〇頁）。この対立は相関するものであり、とりわけ後者の人間の「攻撃性」についてはウルフ自身、この意見に賛同せざるを得なかったのではないだろうか。幼少期にジェラルドから性被害を受け、思春期以降はジョージから性的な奉仕を強要されていたウルフにとって、弱者を従わせて当然という権威的な態度は、何よりも許しがたかったからだ。

ウルフは、後期ヴィクトリア時代の「男らしさ」と「女らしさ」という性規範に人々を押し込めるような価値観から自ら逃れることを希求し、小説を通して男性であっても「直立人」でない生き方ができることを示そうとした――『船出』のテレンス・ヒューウェットなど、ケア実践者としての男性も描いている。そうすることで、人を力で押さえつけるような家父長的な価値観を変えていくことを目指した。なにより、彼女が属していたブルームズベリー・グループのメンバーたちも、このような厳格な性規範からの解放をめざしていた。[*19] 彼女の作品の原点には、性被害の体験があったのだろう。ウルフの精神分析への留保と彼女の「男らしさ」への警戒心は強く結びついていたと言える。フロイトの「父なるもの」(ファリックなもの)とは文化の端緒としてのポジティヴな面だけでなく、強くなった超自我として個人を締め付けるネガティヴな面のあるアンビヴァレントな存在だからだ。[*20] ウルフのフロイトへの評価は、彼の両義的な人間像とも深く関わっていたのではないだろうか。

6章　ネガティヴ・ケイパビリティ——編み物をするウルフ

1. 家庭的なケア実践の価値

アイスランドの首都レイキャビクにある家政学校を取材したドキュメンタリー映画『〈主婦〉の学校』（監督：ステファニア・トルス）が日本でも公開され、SNS上でも話題になっている。この学校には、栄養学やテーブルマナーの講義、調理、ジャム作り、刺繡、編み物、織物の実習などがあり、幅広い家政学が学べる。掃除は家具や家電製品のメンテナンス法なども教えてくれる。途中、女性の生徒たちが静かに編み物をしたり、子ども用の服をミシンで縫ったりしている姿が映し出されていたのが印象的であった。

リベラル・フェミニズムの立場からは、女性は経済的に自立することが期待されるため、伝統的に女性の役割とされている家事や家庭的なケア実践は積極的に価値づけされてこなかった。文学作品を振り返ってみても、女性作家たちにとって家庭内のケア実践は社会的に条件づけされた役割として否定的に描かれることが多い。じっさい、編み物や手芸は、保守的な女性の象徴として機能してきた。シャーロット・ブロンテの『ジェイン・エア』（*Jane Eyre*, 1847）の自立した家庭教師のヒロイン、ジェインのアンチテーゼとして描写されるエライザは「一日の半分は裁縫をしたり本を読んだり」している。また、ジェインが訪問したとき、彼女はちょうど「絨毯ぐらいの大きさがある四角い真紅のラシャの切れ地を金糸で縁どる」作業をしている。それは教会の祭壇にかけるためであり、エライザはその日すでにその作業に三時間も費やしていた。[*1]

ヴァージニア・ウルフによる『ダロウェイ夫人』では、クラリッサ・ダロウェイが三十年前に求婚を拒んだピーター・ウォルシュが訪ねてくる際、ちょうど夫のパーティで着るドレスを繕っている。また、この小説の冒頭部分は、クラリッサが買い物に出かける場面である。「ダロウェイ夫人は、自分で花を買ってくると言った。／なにしろルーシーは手一杯であったから。ドアは蝶つがいからそっくり外されるだろう。それにはランプルメイア商会の職人が来てくれるはずだ」。[*2] 最初の数行で、主人公の頭のなかが家庭の雑事で埋め尽くされているのが分かる。

裕福な家庭の主婦であるクラリッサには召使いのルーシーがいるのだが、彼女はルーシーに手間をかけさせまいと自分で花を買いに行くことにし、それ以外の家庭の問題も気にかけている。買い物ひとつとっても、家族一人一人のニーズを想像しながら対応しなければならない。フェミニズム批評において、クラリッサの体現するケア実践が、家父長的なイデオロギーを内面化した女性の「女らしさ」として批判対象となりうるのはよく理解できるのだが、よく考えてみると家族の生活を支えるケアの価値が貶められるのはおかしい。

『〈主婦〉の学校』の取材対象である家政学校は、実は男女共学で、さすが男女格差が世界一小さいアイスランドということもあり、ケア実践は女性がするものだという決めつけがない。しかし、アイスランドもかつては日本と同じように男女格差が著しい国だった。例えば一九七五年の賃金差は四〇%もあった。つまり、同じ仕事でも男性が一〇〇を稼ぐところ、女性は六〇しか給料が支払われていなかった。[*3] 第二波フェミニズムと呼ばれる時期の、女性によるストライキがアイスランドの社会の仕組みを大きく変えたのだ。

第一波フェミニズムとしては、メアリ・ウルストンクラフト（Mary Wollstonecraft, 1759-1797）が著書『女性の権利の擁護』（*A Vindication of the Rights of Woman*, 1792）で男女平等を訴え、その後、そのリベラル・フェミニズムはフランスの思想家シモーヌ・ド・ボーヴォワール（Simone de Beauvoir, 1908-1986）に受け継がれた。そして、一九六〇年代後半から七〇年代にかけて第二波フェミニズムが興隆したことが契機となり、教育制度に始まり、文化や知識の男性中心主義、つまり「家父長制」（patriarchy）を問い直すラディカル・フェミニズム、教育的不平等を資本主義制度と家父長制の複合支配として男女非対称である仕組みの是正を訴えたマルクス主義フェミニズムが登場する。

このように連綿と続いてきたフェミニズムの歴史があって初めて、女性たちは自分たちがじつは抑圧され、搾取される存在であるという認識を得ることができ、実際の行動へと結びついた。一九七五年十月二十四日、第二波フェミニズムの絶頂期にケアの主な担い手であった女性たち（アイスランドの全女性の九〇％）は、一斉に家事や育児の仕事の手を休め、ストライキを起こした。また、首都レイキャビクのダウンタウンには、なんと二万五千人もの女性が集まり、デモを行ったのだ。アイスランドの父親たちは慣れないおむつ替えや、子どものための料理をして、家族のケア実践に奔走した。家事育児が突然降りかかってきた男性たちは、それまでは当事者意識が希薄だったが、ようやく自分の問題としてケアの価値というものを認識できたのだろう。

アイスランドのこの家政学校は一九四二年創立であるが、このような経緯を経て一九九〇年代に男女共学になった。〝ケア〟は女性のみ行う実践であるという認識が大きく揺らいだ。〝ケア〟が他人ごとではなく「自分ごと」である（「自分のために行く」）、そういう場として家政学校があると言ったのは、インタビューを受けた講師の一人である。このドキュメンタリーでは男性卒業生も出演している。一人は、「家事の見方が変わった」と答えていた。かつては男にトイレ掃除をさせるなんてとんでもないと学校に抗議した男子生徒がいたという逸話を笑いながら語っていたが、この卒業生は、皿洗い、アイロンがけなどの家事を当たり前のようにこなすのだという。また別の男性は、学校で手芸を習ってよかったと考える理由として、服などを「捨ててしまうのは、もったいない」からだという。人間が環境に及ぼす影響が甚大である今の時代こそ、男性も女性も家政学校に通うことに意義があると述べていた。つまり、ケアの価値を二次的なものと貶めるのではなく、男性がケア領域に参入した結果、その価値がどんどん引き上げられているということだろうか。

アイスランドではケアは尊い活動として積極的に学ぶ対象となっている。他方、ケア実践を女性の仕事として考える日本社会ではどうだろうか。二〇二〇年、コロナウィルス感染防止に関する会見で松井一郎大阪市長が「女の人は買い物に時間がかかる」と発言していた。ケアの倫理論者の岡野八代氏は「「見えない家事」の存在を無視しつづける「日本の社会と政治」、その致命的な欠陥」という優れた論説において、この発言の問題点を指摘している。頼まれたものを買うというミッションは、男性のほうが時間がかからず、スーパーも混雑しないだろうという論理であるが、岡野氏は、「この発言は、家族のため、というか他人のために買い物をしたことがない者だからこその発言であろう」とケアする人とケアしない人の差異を浮かび上がらせている。記者からも違和感を覚えると返され、家族の食事を担当し、買い物もしている人たちからは、家族の食事作りに対する想像力がないといった多くの批判が寄せられたという。この指摘からは、日々のケアは他者のニーズを想像しながら「迷い」「悩み」ながら遂行する尊い活動であることに改めて気づかされた。*4

英文学におけるケアラー代表として思い浮かぶのはロマン派詩人ジョン・キーツである。彼は幼い頃に父親を亡くし、十代で母親が肺結核に罹ったため、若いころから看護やケアに明け暮れた。成長してからも医者の見習いになり、外科病棟で患者の患部に包帯を巻きながら患者の痛みに寄り添い、日々励ましの言葉をかけていたに違いない。詩人になってからは、他者への想像力が彼の詩作品に表現されるようになる。相手の気持ちや感情に寄り添いながらも、分かった気にならない「宙づり」の状態、答えの出ない不確かさを、彼は「ネガティヴ・ケイパビリティ」という言葉で表した。

2.「ポジティヴ・ケイパビリティ」と「ネガティヴ・ケイパビリティ」

「頼まれたものを買う」という処理能力だけを要請する松井市長の思考の根っこには、いま世のなかで重要とされている「ポジティヴ・ケイパビリティ」信奉があるのだろう。問題解決や物事の処理能力で、これこそが現代の学校教育において目標として掲げられる能力でもある。ただ、「ポジティヴ・ケイパビリティ」と「ネガティヴ・ケイパビリティ」は両立できると考えられないだろうか。つまり、数量化できないケアも、経済的な「生産性」と同じくらい重要であるという発想である。ケアの倫理論者のジョアン・C・トロント（Joan C. Tronto, 1952-）は、多くの女性は、ケアするという直接的な仕事をすることによって、「育児や介護など家族の世話をする」（care for）が、いわゆるケア実践者でない人々（男性に多い）は、「自分が従事している仕事や、抱いている価値、そして自分の家族のためにどれほど稼いでいるかで、ケアすることを表わす」（care about）傾向があるという。後者は、「比較的具体的な実践が欠けていること」（例えば、母親のことを心配して「泣く」、あるいは、ホームレスたちのことを「気にする」など）を示すという点で、前者の具体的なニーズに応えるケア実践とは区別されている。

いずれも同じくらい尊いはずだが、なぜか女性の〈ケア・フォー〉は二次的なものと見なされている。*5 日本では、この性的分業制がより深刻である。筒井淳也氏によれば、戦後日本社会が「男性稼ぎ手モデル」からなかなか抜け出せない要因がいくつかあるという。*6 日本の企業においては、長時間労働、頻繁に行われる職務転換、即座の転勤などが、長いこと男性に安定した雇用と賃金上昇を保証する仕組みとして機能してきた。つまり、目に見える「生産性」や数量化（賃金に変換）できる労働を主に男性（夫）が担ってきたが、その分、女性（妻）はフルタイムの仕事を持たないで家事やケア労働（育児・介護・看護）を担い、男性を家庭内のケア労働から免除してきた。しかし、「ポジティヴ」な能力、あるいは〈ケア・アバウト〉ではないがゆえに評価されてこなかった女性たちのケア実践が、日本経済の屋台骨を支えてきたという現実があることも忘れてはならない。

日本政府は、高齢化が進む中「全ての年代の人々が希望に応じて意欲・能力をいかして活躍できるエイジレス社会」を実現すべく構想している。[*7] しかし、このようなヴィジョンは今の日本の状況に照らしてみて果たして現実的といえるのだろうか。また、日本のミドルシニア・シニア層の就労目的調査では、複数回答の中で「自分の生活費のため」を選んだ人が約七割いたという結果になった。[*8] 仕事を続けないと生活できない人が数多くいるということは、病気のリスクを冒してまで働くことを意味する。数年前に高校の警備員をしていた高齢の男性（当時六十八歳）が勤務中に急性心筋梗塞で死亡したニュースが報道されたが、「長時間労働による過労が原因」だった。[*9] このようなケースは他にも多くあるだろう。一般的に、生活のために高齢でも働き続ける男性の妻は、夫に先立たれた場合、その後の生活に困窮することが想像される。

このように、妻が夫の所得に依存することが前提とされている現行制度では、そこからこぼれ落ちる人がいても、救済されない。夫が正規雇用で、妻がパートか専業主婦である場合、彼女も第三号被保険者として年金をもらえるため、「男性稼ぎ手モデル」は広く受け入れられてきた。日本に見られる女性の比較的顕著なM字型就労の傾向は、仕事を持つ女性が結婚や出産をするとフルタイムで働き続けることが困難になることを如実に示している。育児に専念するため家庭に入る女性たちにとって、このケア実践が一段落したあとにようやく仕事――多くの場合、低所得の非正規就労――を再開できるというのが現実である。[*10] しかも、以前にも増して、離別、あるいは未婚で老後の保障が与えられない低所得の女性が数多くいる。

日本に生きる単身女性たち――とりわけ就職氷河期に世に出た「ロスジェネ」と呼ばれる世代――にとって未来は決して明るくない。朝日新聞記者の真鍋弘樹氏は、彼女たちは「老後に貧困化する可能性が高い」という未来予測をする。[*11] なぜならこの世代は特に、非正規雇用の女性が圧倒的に多いからだ。もちろん、男性は男性で家父長的な社会では常に生産性を求められ、働き手として「ポジティヴ・ケイパビリティ」のプレッシャーに耐えているともいえる。だからこそ、「ポジティヴ」と「ネガティヴ」の能力に与えられる価値に格差をつくらない社会を模索する必要があるのではないだろうか。そうすれば、男女が公私両領域で活躍することを可能にし、アイスランドのように相互依存的なモデルに一歩近づく方法論になる。ジェンダーギャップ指数が十二年連続世界一で、女性の就業率も八〇％以上というアイスランドから学ぶことは多くある。[*12]

3. 編み物をするヴァージニア・ウルフ

日本ではなぜ男女格差が続くのだろう。アイスランドのように、女性たちが突然ケア実践を手放してストライキを起こすなんてことはなかなか考えにくい。そもそも、家族をケアすることに価値がないわけではないから、並々ならぬ闘志が女性たちを駆り立てないかぎり、このような奇跡は起こらないだろう。経済的自立を擁護していたウルフでさえ、〝ケア〟そのものを軽視していたわけではない。ウルフは『自分ひとりの部屋』で女性も男性のように自立をめざすべきだと主張していたが、じつは彼女の長篇小説『灯台へ』は、他者へのケアや思い遣りに満ちている。この小説の始まりは主人公ラムジー夫人が編み物をする場面であり、八人の子どもの愛情深い母親である彼女が灯台の管理人の子どものためにソックスを編んでいる。ラムジー夫人は、編み物のモチーフを繋ぎ合わせるように、人々を結び合わせるケアの人として家族やコミュニティの中心となっている。このような編み物の実践がじつはケア精神を象徴してもいる。というのも、ウルフにとって編み物の実践は精神的なセルフケアになっていたからだ。彼女は結婚する五ヵ月前の三月五日に夫レナードに宛てた手紙に、内的葛藤を乗り越えるために編み物が救いになっていると書いている[*13]（Knitting is the saving of life, 1912)。また、一九一二年に姉のヴァネッサ・ベル（Vanessa Bell, 1879-1961）の描いた有名な肖像画のなかのウルフも、編み物をしている。

一九七五年にアイスランドの女性たちが一斉にストライキを決行したことによって、社会全体が麻痺し、機能しなくなった。いわば〈ショック療法〉である。コロナ・パンデミックも、ある意味で、日本社会にさまざまなショックを与えた。外出を控えざるを得なくなった人々が家事に関心をもつようになってきているという調査結果もあり、家庭におけるケアについて考えようという気運は高まっているのかもしれない。[*14] 人間がいかに脆弱な存在か思い知らされる契機にもなっている。ケアに価値を与えようとする風潮は、岸田文雄首相の二〇二一年十月八日の所信表明演説でも現れていた。彼は「看護・介護・保育などの現場で働く人の収入を増やすため、公的価格のあり方を抜本的に見直す」と表明している。これは是非とも政治において実践してほしい。このこととは別に、ケア労働がじつは高い技術を要するという認識は少しずつ浸透しつつあるのかもしれない。すでに、〈SOMPOケア〉という民間の大手介護企業は介護職の処遇を改善しようとしている。[*15] 女性が多い介護職の処遇の低さは、ケアの価値がいかに貶められてきたかを物語っているが、〈SOMPOケア〉の岸部匡剛（まさたけ）人事部長は、介護職の仕事は一見敷居は低いが、高齢者の尊厳を守るという「非常に高い専門性や心の態度」が要求される仕事だと説明する。[*16]

しかし他方で、コロナ禍による全国一斉休校などは、公私両領域における主に女性たちのケア労働を圧迫し、働くシングルマザーたちの厳しい現実はメディアにも取り上げられるほどだ。普段は見えなくされているケア実践が可視化され、新たな課題を突き付けている。日本社会がアイスランドの歴史から学べることは、ケアの価値以外にもあるだろう。エーリン・フリーゲンリング前駐日アイスランド共和国特命全権大使によれば、彼女が「子どものころまで国会議員で女性が占める割合は2%ほど」だったそうだが、それが今では約四〇%が女性で、閣僚の半分を女性が占めるまでになったという。[*17] 日本の女性議員比率が世界一九三ヵ国中一六六位である現状は改善されなければならない。とにかく人々が遍く（あまねく）ケアされる社会への道のりはまだまだ遠い。

7章　多孔的な自己——アートと「語りの複数性」

1．他者に開かれた自己

共感覚とは、一つの感覚的刺激に対して、複数の感覚が同時に起こることをいうが、フランスの詩人シャルル・ボードレールの「万物照応」は共感覚的な詩として知られている。たとえば、ある音を聞いてある色を感じ取ったり、色が匂いを刺激したりという現象は共感覚に基づいている。

長いこだまの遠くから溶け合うよう、
涯もなく夜のように光明のように
幽明の深い合一のうちに、
匂と色と響きとはかたみに歌う。[*1]

とりわけこの第二詩節では嗅覚、視覚、聴覚の感覚が「合一」することが強調されている。人は自分の身体の外に出られないため、共感覚を持たない者にとって想像しづらいのだが、もし実際にそれを自分の目で見られるとしたらどうだろうか。

共感覚的な作品を創作してきた小林紗織は、聴いた音を視覚的な情景、色彩や形に「翻訳」して、それを五線譜の上に記録していく。これを小林は「スコアドローイング」と呼ぶ。この手法で創作された三十メートルもの作品《私の中の音の眺め》は私たちを取り囲む音楽、生活音、環境音、ノイズなどの音を視覚化したものである。展覧会「語りの複数性」には、この作品以外にも、落語家が話している身体を写真で捉える大森克己の作品や、川内倫子の写真絵本『はじまりのひ』を空間で再構成したもの、読書会に基づいて創作された作品などが展示されている。映像作品としては、百瀬文の《聞こえない木下さんに聞いたいくつかのこと》や山本高之の《悪夢の続き》がある。その名のとおり、この展覧会のテーマは、多種多様な世界の見え方、語り方、そしてそれを語るさまざまな「声」である。東京都渋谷公園通りギャラリーで開催されていたこの展覧会を筆者は二〇二一年十一月二十四日に訪れた。

興味深かったのは、いずれの作品も「多孔的な自己」をさまざまに表現していたことだ。近代社会の自己を語る際に参照したいのが、政治哲学者チャールズ・テイラー（Charles Taylor, 1931-）の提示する二つの対照的な自己像である。近現代社会では、「緩衝材に覆われた自己」（buffered self）が支配的である。その大前提は、「近代人の究極の

展覧会「語りの複数性」より　小林紗織《私の中の音の眺め》（2021年）展示風景
撮影：木奥惠三　画像提供：東京都渋谷公園通りギャラリー

目的は自分自身の内部から生じてくる事柄」であり、外部からの影響を強く受けてしまう場合は、「苦悩や誘惑の経験を回避」するなどの対策を講じることである。その自己と対照的なのが、「多孔的な自己」(porous self)である。多孔的な自己にとっては、「最も力強く重要な感情の源泉は、「精神」の外部にある」。すなわち、こういう考えを持つ人たちにとって、自己の外部からの内部への関与を回避するという考え方は意味がない。[*2] なるほど、自分のことは自分でケアすべきとする「個人の優先性」(『世俗の時代』(上)、一九一頁)が自明という認識が深く埋め込まれた社会に生きていると、他者と関わって生きていく自己を想像することも難しいだろう。新自由主義社会で様々な分断が深まっている今こそ、このような多孔的な自己の復権が求められているともいえる。

他者と繫がりうる存在は女性であるという先入観もまた、現代社会においていわゆる依存しないマッチョで強い自己像を構築するのを下支えしてきた。わかりやすい例をあげれば、こういう自己は、レイチェル・ギーザが『ボーイズ　男の子はなぜ「男らしく」育つのか』のなかで言及する「マン・ボックス」に似ている。男らしさが、柔らかい・優しい・感情的・フェミニンといった印象を与えるものすべてを排除することによって成立しているのだ。[*3] ケア実践を担うのが圧倒的に女性の方が多いのには、このような古くから蔓延するステレオタイプの影響があるだろう。しかし、中村佑子によれば、『実用介護事典』では他者に開かれた性質、つまり「母性」はすでにジェンダー二元論を超える「人間が本来持っている性質」として定義されている。そして中村はこう続ける。「地縁も、人とのつながりも希薄な現代社会において、他者へのセンシティビティに「母」という言葉を使うなら、それはもはや生物学的な女性や、子どもを産んだ人だけではなく、多くの人がもつべき力のようなものとして、とらえられるだろう[*4]」。

本展は、個の自立と等価値を持ちうる能力として、複数の「声」を聴く力、自分を他者に開いていく力を前景化させている。小林の《私の中の音の眺め》という作品ひとつ取ってみてもそうだ。この描譜を眺めていると、音を聴いているとき聴覚だけでなく、視覚が研ぎ澄まされる人がいることを知る。キュレーターの田中みゆきは、この「スコアドローイング」という表現方法を『うたのはじまり』というドキュメンタリー映画を通して知ったのだという。この映画は、ろうの写真家である齋藤陽道が、子育てを通して、小さい頃から嫌いだった歌うという行為と出会い直すという物語であるが、彼を取り囲む音や歌、そして息子が誕生したときの産声までもが、色彩豊かな図形や繊細な曲線などで絵字幕として表現されている。こうして他者の「声」に耳を澄まして新しい芸術の形を探し続けている田中こそ、多孔的な人ではないかと思う。

2. 新自由主義の価値に抗う

また本展は、新自由主義的な価値観にも果敢に挑んでいる。資本主義社会が新自由主義とタッグを組んで成長を遂げることができたのは、市場原理の外で行われるケアリングを担う人たちがいるからだ。その代表格は、育児や介護を担う専業主婦／主夫たちである。賃金が発生する介護、看護、保育に携わるケア提供者たちも処遇が決してよい訳ではない。見過ごされがちなケア労働の一つとして、「遺品整理人」という仕事がある。現代社会では、「孤独死」ばかりが問題視され、孤独死の現場の清掃をしたり、その死に思いを馳せたりするケア労働者がいることは看過されている。孤独死した人の遺品整理や清掃の仕事に就いている小島美羽のミニチュアの作品《ごみ屋敷》《遺品の多い部屋》《終の棲家》が鑑賞者に気づかせてくれるのは、彼女がケアする対象は室内のモノだけではないということだ。孤独死した人や遺族へのケアもある。長いこと発見されない遺体があるという現実を伝える方法として現場写真でなくミニチュア制作を考案したのは、写真では「故人を晒し者にしてしまうことになる」と懸念したからだという。[*5]

彼女が訪れる依頼現場は、年間で三百七十件以上。これだけ孤独死が社会問題化していながら、「ほとんどの人に当事者意識はない」（『時が止まった部屋』、五頁）。《ごみ屋敷》は、四十代女性がごみ屋敷化したマンションの一室で孤独死していた現場をモデルに制作したミニチュアだ（同、三〇頁）。キッチンのコンロの上になぜか卵の殻がおかれていたり、誰かからもらったお土産のお菓子が無造作におかれていたりする。小島によれば、特に女性の場合は、それまで何の問題もなく部屋をきれいにしていたのに、「大切な人の突然の死」「家族の事故死」「最愛のペットとの別れ」「解雇」など、「誰にでも起こりうる突然の喪失が、人を無気力にさせ」(同、四〇頁)、ごみをためさせるのだという。小島は、孤独死が報道されないことに焦燥感を覚え、「自腹で道具や材料を買い、仕事の空き時間などを利用して」制作した(同、七頁)。賃金報酬という対価が支払われないところで、故人がどのような人生を送っていたかに思いを馳せ、ミニチュアを制作して、その死を悼む。アートがそのままケア実践になっている。

『おみおくりの作法』(ウベルト・パゾリーニ監督、エディ・マーサン主演)という映画も、遺品整理人の物語であった。イギリスのとある区の民生課の職員ジョン・メイが、孤独死した死者のために、追悼文を書き、心を込めて葬儀を行っている。彼は、生前一度も会ったことのない故人のために、その人が生きていた痕跡から想像を巡らせ、葬儀の追悼文を書く。「彼女は人生を謳歌しました。晴れた浜辺の暖かさ、シンプルだが上品な首飾り、赤い口紅。またフラメンコにも情熱を傾け、赤い衣装をまとい華やかに舞いました」。ところが、上司はあろうことか、メイに向かって「君の徹底した仕事ぶりは二ヵ月見てきたが、金の無駄とは言わないが、時間のかけすぎだ」と言い放ち、解雇通知を突きつける。

斎藤幸平によれば、ケア実践が資本の論理の先行する社会と相性が悪いのは、スピードや効率性の問題であるという。「人間、動物、植物の生育は生物学的に規定されており、資本にとっては遅すぎる」。またケア実践は「自立」がベースではない。相手のニーズを探り、理解し、時間をかけて信頼関係を築いていくプロセスは「マニュアル化し、機械的にさばけるものではない」[*6]。それがたとえ故人だとしても。直線的で効率的なやり方でない遠回りな方法で表現するアートを鑑賞者が受け止めるとき、そこには資本主義の論理に基づく時間とは異なる時間が刻まれる。

3.「声」ってなんだろう?

「あらゆる物事は、ひとりでに語りだすわけではなく、受け取る人がその存在や意味を捉えてはじめてそこに現れるという意味で、その人が語ることでもあります」(田中みゆき、展覧会「語りの複数性」のハンドアウトより)。この主眼を踏まえれば、百瀬の映像作品《聞こえない木下さんに聞いたいくつかのこと》は、選ばれるべくして選ばれた作品だろう。それは、聴者の百瀬とろう者の木下知威による口話を用いた二十六分ほどの対話が撮影された映像だが、二人の「声」を受け取って、思索を巡らすわれわれ鑑賞者もまた「語り」に参加しているのである。木下にとって、声は「声帯が震えている」ことであるが、それをいわゆる「声」の中に含めるのかどうかは留保している。木下は聴者の口の動きや形か

百瀬文《聞こえない木下さんに聞いたいくつかのこと》(2013年)

ら、相手の言葉をイメージしようとする。そして、言葉の断片的なところを想像力で補完する。

木下が指摘しているが、ろう者のコミュニケーション手段として推奨されるのは、聴者が基準となる「口話」であることが多いらしい。このプロセスは、『リハビリの夜』で熊谷晋一郎が障害当事者の視点から見た「リハビリ」と似ている。[*7] 熊谷にとって「リハビリ」は健常者に合わせて生きるよう工夫することを期待される、そういう苛酷なものである。「口話」もまた健常者に都合はよいが、非対称性を孕んだコミュニケーション手段といえるかもしれない。百瀬の映像作品はこの非対称性を乗り越えるため、木下の語りに耳を傾ける。最初、鑑賞者はろう者の体験を知るための啓発的な作品なのかと思う。しかし、終盤に百瀬が故意に肉声としての声を出さなくなるとき、つまり口の動きで作り出される「声」が――言葉は字幕で見せられるが――肉声自体は鑑賞者の耳にも、百瀬本人の耳にも届かないとき、「声」(と呼べるもの)が二人の「あいだ」に存在していることに衝撃を受ける。「声」はもはや百瀬の所有物ではない。その「声」は、「自分の体からはがされた場所で声にな」り、自己と他者のあいだで宙吊りにされる。人間と人間のあいだで成立している(ように見える)コミュニケーションもまた、想像力で補完されてようやく可能になる、危ういものなのだと気づかされるのだ。

大森克己《心眼　柳家権太楼》もまた「声」についての独特の主張がある。これは、古典落語の演目の一つ『心眼』を演じる柳家権太楼のその身体を写真で切り取っている作品である。三十分の演目を取りこぼさず記録するには数十万枚、あるいはそれ以上の写真が必要であるため、この作品は作家によって任意に抜き取られた写真が時系列に並べられたものとなっている。つまり、鑑賞者がそれらの写真を見て、それぞれに権太楼の「声」を想像するしかない。田中によれば、大森は「声の乗り物」を撮っているのだという。写真がとらえた身体にはそこから立ち上がる何かがあるというわけだ。『心眼』は盲目である梅喜の物語であるが、最初誹謗中傷を受け続けた彼は、あまりの悔しさに茅場町の薬師様に信心して片方の目だけでも治してもらおうとする。ところが、目が見えるようになったとたん、妻のお竹が醜いと言われて落胆したり、芸者が彼を好いていると周りから言われて浮かれたりする。「心眼」は、おそらく、梅喜が「目が見える」ようになったとたん献身的に彼を支えてきたお竹の優しさが見えなくなるという「心」の眼を意味するのだろう。最終的に、目が見えるようになるという奇跡は起こっておらず、ぜんぶ夢だったというところで話が終わる。百瀬の映像作品も、大森の映し出す落語家の身体も、固定観念に疑問を突きつけ、「聞こえるほうがいい」「見えるほうがいい」という固定観念にブレーキをかける。

本展では、川内倫子の写真絵本『はじまりのひ』を取り上げて見える人四人と見えない人四人で読書会を行ったそうだ。目の見えない人と見える人が時間をかけて話し合うことによって、それぞれの経験の違いや、それまで共有してこなかった部分に気づくことができる。目が見える人は、写真を鑑賞するときコンテンツ（中身）に終始してしまうのだという。ところが、見えない人と一緒に写真を鑑賞すると、その写真が「どう撮られているのか」を言葉にすることになる。草が光を浴びて気持ちよく水滴をつけている様子が写っている写真に添えられた言葉は「みながみな　うたっています」である。生命力溢れる緑色の草たちが光を浴びて、たしかに「うたってい」るように感じられる。見える人がこの「ありよう」を目が見えない人に伝えるとき、普段使わないようなボキャブラリーを用いて表現するのかもしれない。また、身体的な感覚を伝え合うためにも、写真の「触図」が作成されたという。まさに共感覚的な体験である。

もちろん、目が見えない人たちや耳が聞こえない人たちが生きている日常をそれだけで本当にわかったつもりになるのは危険なことだろう。しかし、本展の主眼はそこにはない。それは山崎阿弥の《長時間露光の鳴る》という作品を見てもわかる。普段は意識的に聴取しないような音――複数の時間と季節、天候の下での渋谷の町の音――が録音され、鑑賞者はその音を振動とともに体感できる。自分たちがいかに選択的に音を聞いているのかを実感できたとき、「聞くという行為は、語るという行為に他ならない」という山崎の言葉は腑に落ちる。鑑賞者は、自分の固有の身体が音を受動的に聞くのではなく、その聞く行為を通して語り直しているのだ。筆者を含め展覧会の作品を鑑賞した人々は、作品を

「見る」あるいは「聞く」という体験を通して、受動的に何かを受け止めつつ、同時に自分たちもまた想像世界において、能動的に思いを巡らし、その何かについて語り直す術を学ぶことができたのではないかと思う。

8章　ダーウィニズムとケア　1——『約束のネバーランド』と高瀬隼子作品

1. 進化論の語りの力――ダーウィンとウルフ

ここ数年で、新自由主義の思想が社会にもたらした排外主義や格差の問題が、コロナ禍の中でよりいっそう深まっている。そして、その闘争で置き去りにされてしまう弱者たちの逆境を寓意的に描く物語が広く読まれているように思う。しかも、〈強者〉が力ですべてを征服する、あるいは反対に、〈弱者〉が〈強者〉を敗北させるというわかりやすい構図で成り立つ物語ではない。たとえば、漫画『約束のネバーランド』（白井カイウ原作、出水ぽすか作画）――アニメ版もある――などは、複雑な認知レベルが要求される物語だが、読者の感情に深く作用する優れた作品である。その新しさは、〈誰が生き残れるのか〉という社会ダーウィニズムの〝進化論〟的な問いではなく、〈みなが共に生きていくにはどうすればよいか〉という〝ケア〟をめぐる問いを孕み、他者のクオリアに到達する点にみいだされる。クオリアとは、「我々の意識にのぼってくる感覚意識やそれにともなう経験のこと」であるが、[*1] 主観や当事者の意識と言い換えることもできよう。当事者が感じていることを別の人間／生物が感じるのはそう容易いことではない。

本章と次章で、〈弱者〉と〈強者〉の関係を描いたさまざまな物語を進化論とケアの視点から考察する。本章では、鬼の食肉として育てられる人間が「農園」を脱走して生き延びようとするサバイバル・ストーリー『約束のネバーランド』と、女性が日本社会で生き延びるために払う犠牲が生々しく語られる高瀬隼子の『おいしいごはんが食べられますように』（講談社、二〇二二年）を中心に取り上げたい。

進化論とは、現存する生物は「適者生存」（the survival of the fittest）のプロセスによって進化した産物であるとする考えだ。三十八億年前に生まれた地球上の生命体は、さまざまな環境の変化や外来者の侵略に影響を受けながら進化を重ねてきた。ただし、“fit”という言葉にはもともと「適した」だけでなく「強い」の意味もあるため、強者が生き残ると誤って解釈されてしまうこともしばしばである。しかし、生き残った生物の個体が常に最強である（あるいは最速、最も賢い）とは限らない。[*2] 適者生存が意味しているのは、もっぱら、最も生存に適している者の存続ということにすぎないのだ。進化論と文学を繋いで論じたことで知られるジリアン・ビアは、『ダーウィンの衝撃——文学における進化論』において、進化論の物語がもつはかり知れない影響力に注目している。なぜなら、カゲロウからオークの木にいたるまで、生物の成長（あるいは進化）という変移は、「意識を越えたところにあ」り、「一瞬の意識にもとらえられないような（中略）逃れることができず、元にもどすこともできない過程」を経るからだ。[*3] 種の発達あるいは変移の諸段階が、個体の一生の諸段階、すなわち「成長」という経験と結びつけて語られるとき、その圧倒的な語りの力に人々は引きこまれる。ビアは、ヴァージニア・ウルフによる「過ぎし日のスケッチ」から以下の一節を引用する。

自分がどんどん進まされている、事実小さな生きものは、その脚や腕の成長によって先へ先へと駆り立てられている、自分でそれを止めることも変えることもできずに――ちょうど植物が地面から生えるよう駆り立てられ、ついには茎を伸ばし、葉が茂り、蕾がふくらむように――そんな感じがするに違いない。これを言葉にすることはできない。(『ダーウィンの衝撃』、一八〇頁)

ビアは、逆もどりできない進化論の物語を「成長」のイメージと重ねるウルフのこの言葉に注目している。何世代にもわたる変移を一個体の物語に凝縮してみせるウルフの語りはダーウィンの語りにも通じるだろう。ダーウィンは、「熱に浮かされたように多くのものを産み出しながら波のように先へ進む自然」を想像している。「生物――もしくは体――は、変移の媒介物となり、産出という行為は、変化を引き起こす手段となる。身体的なものが、世代を通じてひきのばされる」(同、二一二頁)。ダーウィンは生命の変移性に喜びを感じており、書簡にさえその幸福と解放の瞬間を記している。しかし、彼の進化論に特徴的なのは、この「喜劇的ヴィジョン」(同、一九五頁)だけではない。「われわれ〔人間〕は、自然の顔が喜びに輝いているのを見る。われわれはしばしば、食物がありあまっているのを見る。だがわれわれは、周囲でのんきにさえずっている鳥が、たいてい昆虫や種子を食べて生きており、こうしてたえず生命をほろぼしているとは見ない」(同、一九三頁)。

二一世紀の文脈においては、人間や動物が他の種を捕食するという残酷さや適者の生存のために別の種が滅びるという悲劇的ヴィジョンに加えて、人間の経済活動によってもたらされた気候変動やそれによって地球上の無数の生命が危険に晒されるという問題がある。環境活動家グレタ・トゥーンベリの「経済、経済というけど、金の方が命よりも大切なのか」という糾弾は、話題となった映画『ドント・ルック・アップ』を彷彿とさせる。この物語では、約半年後に地球に巨大な彗星が衝突するのだが、大多数の人々が現実に向き合おうとしない。天文学の大学院生ケイトがこの人々に向けて放つ「みんな死んじゃうのよ！」という叫び声とグレタの切実な言葉が共鳴する。資本主義システムを機能させるために、〝自助〟の価値を評価する文化が形成されてきたが、自分さえよければよいという、屹立する自己の価値が支配的になるに従い、他者の声を聴くことがますます困難になってきている。そして、生態系における適者生存に関して言えることは、今の人間社会の「適者生存」の言説についても言えるだろう。経済的に不遇である貧困層の人びとは、環境に適応しないのだから「滅びても仕方ない」という進化論的な発想は、新自由主義的な思想に取り込まれ、特権をもつ人びとにとって都合のよい理(ことわり)として機能している。社会を自然化することによって、人間が本来もつ〝変移〟させる力を忘却しているようでもある。

2. 自己の「内」と「外」――『約束のネバーランド』論

『約束のネバーランド』は自然淘汰されてしまう生物へのケアを前面に押し出している。同時に、社会における〝自助〟の論理をも批判的に捉え、弱者を救済することに価値を見いだしている。主人公エマは、最初自分のことをグレイス＝フィールドハウスという施設で暮らす普通の子どもだと思い込んでいたが、ある少女の「出荷」を目撃してしまい、その孤児院で暮らす子どもたちは皆、鬼の「食用児」として育てられていることを知る。そこで、年長者であるエマ、ノーマン、レイは食用児として出荷されることを拒み、脱出を企てるのだ（ここから先ネタバレを含む内容であるため、作品に興味のある読者は、ぜひとも漫画『約束のネバーランド』（あるいはアニメ版）に接してから読み進めていただきたい）。興味深いことに、この作品のプロットは弱者が強者の地位を奪い、弱者の王国が創造されるというものではない。おそらく、その理由のひとつには、現実的に「鬼」に体現される社会の強者は、特権を手放したりしないだろうというリアリティの問題があると推測できる。しかし、それよりはるかに大事と思えるのは、そもそも〈弱者〉と〈強者〉は、さまざまな文脈において存在しており、複数のレイヤーにおいて考えられなければならないということだ。当たり前のことだが、世界は特権をもつ強い人間と特権をもたない弱い人間に大きく二分できるわけではない。個々人は、階級、ジェンダー、セクシュアリティ、人種など、その他のさまざまな属性をもち、それらが複雑に絡まり合った形で存在している。

『約束のネバーランド』における鬼の世界にもさまざまな階層の鬼——貴族の鬼、庶民の鬼、野獣化した鬼など——がいる。また、人間も捕食／搾取される食用児以外に一部特権的な人間が存在している。さらには食用児たちのなかでも、〈強者〉と〈弱者〉を描き分けるリアリティに度肝を抜かれる。エマ、ノーマン、レイのように年長者で賢く、有能で、運動能力も高い〈強者〉は、いかなるときも自分たちより弱い子どもたちの〈アライ〉"ally"（＝味方）として行動する。これは、食用児のなかでもある種の特権をもつエマがつねに最弱の存在の他者性、そして彼らの〈クオリア〉を基準にして生きているからである。「農園」から脱出するとき、運動能力の低い弱者を切り捨てたほうが計画の成功率は上がったはずだが、エマは弱者を見捨てない道を選んでいる。もちろん、エマの提案は一度はノーマンやレイに却下されるのだが、運動能力の低い子どもたちも一緒に脱出できるよう時間をかけて計画を練り、周到な準備をすることで、実現可能となる。[*4]

この物語における人間は弱者であり、自分たちを食い物にする鬼のような存在は自分たちの苦しみの根源でしかない。また鬼にとっても、食肉である人間のクオリアに思いを寄せるなどあり得ないだろう。しかし、この作品の強者である鬼のなかにも、人間に寄り添う者がいる。「邪血の少女」と呼ばれるムジカと彼女とともに旅するソンジュという鬼である。一見すると、弱者である食用児が立ち上がって、強者である鬼たちに反旗を翻す物語のようにも読めるが、見方を変えれば、特権をもつマジョリティ（鬼／男）がマイノリティ（人間／女）の〈アライ〉になることで世界を変えようとするエンパワリングな物語でもある。[*5]

マジョリティとは多数派という意味だが、数の多さではなく、より多くの権力や特権をもっている側を指す。[*6] グレイス＝フィールド農園を脱出したエマたちを襲ってくる鬼たちから救出するのもムジカとソンジュである。本来、人肉を食さなければ鬼たちは知性や人間の形を保っていられないのだが、進化の過程で変異したムジカだけは人肉を食べずとも退化しない。ムジカは、二重の意味で〈アライ〉である。すなわち、エマたちの逃走を手助けするだけでなく、自分の邪血を他の鬼たちにも分け与え、彼らが農園の人肉に依存しなくても生きられるようにするからだ。おそらくこの物語で大きな役割を果たしているのは、農園廃止に助力するマジョリティ特権をもつ男性の鬼たち（ソンジュやレウウィス）である。長いこと人間を捕食してきたレウウィスが最終的に「農園などつくったためにこの支配が続いた」と鬼の民衆を諭すのだが（第二〇巻）、それがすべての食用児たちの解放の契機となった。反対に、ピーター・ラートリーという人物は人間でありながら、鬼と共謀して食用児を出荷する役割を担い、特権的な立場を手放せないでいる。[*7] 彼のような人間からすれば、他者のクオリアに共感し、いかなる弱者も見捨てないエマのふるまいは信じがたい。「そんなだから食い物にされるんだお前達は（中略）鬼が食用児にしてきたことなんて人間は人間同士で遥か昔から繰り返してきている。そう…人間は人間を食わないのにだ」というのはラートリーの言葉だが、現代の新自由主義的な風潮を見事に言い当てた言葉でもある。[*8] いかなる特権をもつ者も、つねに弱者を踏み台にして自分だけ助かろうとする誘惑にかられる。エマやムジカといった少女だけでなく、男性の食用児のノーマンやレイ、そしてもっとも特権的な立場にいるレウウィスやソンジュの驚異的な才能というのは、その誘惑に抗い、弱者を見捨てないでいられるというものである。

『約束のネバーランド』の鬼たちは、人間とは異なる種族として千年も生活の営みを続けていた生物の種であり、たまたま人間を捕食するよう宿命づけられ（あるいは政治的にそうしむけられ）ていた。だからこそ、エマは生物の種としての鬼に共感せずにおれない。他者性に開かれた物語として思い出されるのが、宮沢賢治の短編「フランドン農学校の豚」である。この物語の主人公である豚には、主観と意識が与えられ、半ば『約束のネバーランド』の食用児エマと同じような立場から語られる。人間のクオリアの「外」に存在するはずの家畜の豚が人間のような自己意識を持つ「内」から、すなわち、クオリアをもつ存在として語るとき、その豚は排除の対象ではなく、共感されるべき他者となる。フランドン農学校の先生が、毎日来て「鋭い眼で、じっとその生体量を、計算」するのだが、帰り際、餌として「毎日阿麻仁(あまに)を〈豚に〉少しづつやって置いて呉(く)れないか」と助手に伝えたのを聞いた主人公の豚が、その語気について「直覚した」と語られる。*9 宮沢賢治は、畜産豚に意識、つまりクオリアがあることを感じさせることで、読者を共感へと導く。

3. ダーウィンの喜劇的ヴィジョン

鬼が人間を捕食する物語『鬼滅の刃』でも、弱者を見捨てない〈アライ〉たち、つまり主人公の竈門炭治郎や鬼になった妹の禰豆子、そして鬼殺隊の仲間が活躍する。鬼を倒す鬼殺隊の一員として戦いながら、その鬼たちにさえ共感する炭治郎は、鬼のムジカたちを殺さない道を模索するエマを彷彿とさせる。『約束のネバーランド』の鬼たちと異なるのは、『鬼滅の刃』の鬼たちは生まれたときから圧倒的な〈強者〉であったわけではない点だ。禰豆子の例からもわかるように、鬼になる者はかつて人間であった。強い鬼として描かれる猗窩座(あかざ)というキャラクターもそうだ。猗窩座といえば、「無限列車編」(第八巻)で炎柱・煉獄杏寿郎との死闘を繰り広げた強い(上級の)鬼として有名であるが、杏寿郎の命を奪った悪漢として記憶に残っている人も多いだろう。しかし、第一八巻で明かされる人間だった頃の彼、つまり狛治の過去が「内」から語られ、読者に彼のクオリアが共有される。鬼の猗窩座が「強さ」に異常な執念を燃やす背景には、彼がまだ狛治と呼ばれていた人間であったころ、貧困によって犯罪に追い込まれてしまうという社会構造があった。狛治は病気知らずの健全な身体を備えているが、病に臥せる父親のために持ち帰る薬を買う金がない。そして、盗みを働く。そのために、狛治はつかまって重い刑罰に処せられ、肉を裂かれたり、骨を折られたりするのだが、父親のためなら何百年も耐えられると言う。彼のこのような精神のことを、植朗子は「優しい狂気」と呼んでいる。強い鬼ほど、人間を食らうようになる前は、強さが救いという強迫観念に取り憑かれるほどに弱いのだ。[*10] そう考えると、弱者と強者の境界線は思ったほど明確ではないのかもしれない。

他人の他者性を認知しようとするとき、あるいは他者に共感しようとするとき、木村敏の言葉は心に深く沁みる。[*11]

その他人は、ある特別な他者性の実感を――つまり他者性のクオリアを――おびた存在である。つまりその人は、私にとって絶対に知りえない固有の主体的内面を生きている人物であると同時に、私の主観に直接はたらきかけ、私の主体的行動を触発するという仕方で、私とのあいだに共通の間主観的世界を開いているような、しかもその

ことを私が直接主観的に実感できるような、そんな特別な他者である。(『関係としての自己』、七四〜七五頁)

高瀬隼子の『おいしいごはんが食べられますように』が剔抉するのも、「絶対に知りえない固有の主体的内面を生きている人物」のクオリアの問題である。この作品では、「弱いと思われたくない」[*12]という負の男らしさを内面化した二谷、彼と同じ価値観を共有し、仕事もできる押尾という女性社員、そして彼らと同じ職場で「弱い」存在と認定されている芦川という女性社員、この三角関係が繰り広げられている。この作品は、押尾視点と二谷視点を交互に展開しながら進むのだが、二谷は芦川との結婚を見据えた関係をもちながら、彼女のことを「尊敬するのは難しい」と感じている(『おいしいごはんが食べられますように』、一九頁)。芦川は前の会社でハラスメントにあい、あるタイプの男性に対して苦手意識がある。彼女は「助けてあげてしまいたくなる」弱者として職場では守られており、頭痛持ちで、職場でも、「しんどくなりそうな仕事をさせない」というルールがあるくらいである(同、四九頁)。しばしば早退するが、その埋め合わせとしてケーキを焼いて職場に持ってくるような家庭的な女性である。他方、押尾自身も片頭痛持ちだが、頭痛薬を飲んで痩せ我慢をする。押尾は、「頭痛いくらいで帰られちゃ仕事になんなくないですか」(同、四六頁)と他の誰にも言わないことをこっそり二谷に告げる。二谷も、芦川が時間をかけて作った食事が「十五分でなくなってしまう」ことや、「いちいち「おいしい」と感情を抱かなければならないことに、そしてそれを言葉にして芦川さんに示さなければならないこと」にうんざりしている（同、六八〜六九頁）。

この作品は、仕事ができる〈強者〉である二谷と押尾の視点から語られるだけで、〈弱者〉の芦川のクオリアは読者に共有されていない。芦川は、まるで小動物のように「助けてあげてしまいたくなる」「かわいそうでかわいい」と表面的な描写に留められている。芦川が徹底的な他者の寓意として表されていることを裏付ける事件が押尾によって語られる。それは、押尾が芦川と一緒にいるときに穴に落ちてしまった猫を発見し、彼女が一人で懸命にその猫を助け出すというエピソードである。放置すればその猫は助からないだろうと「上半身だけ下に垂らして手を伸ばし」（同、一〇四頁）、それでも届かずに、「鞄を手に持って下に伸ばし」（同、一〇六頁）た。ようやく猫はその鞄をつたって外にでることができた。芦川は「男の人に声をかけて助けてもらおう」と提案するだけで、手助けすらしない（同、一〇五頁）。高瀬は、この救出劇を通して「猫」を、寓意的に無力な芦川だけでなく、押尾自身の「内」（クオリア）に秘められた弱さにも重ねているのではないだろうか。

奇しくも、押尾が人間の変移について語る場面がある。「わたしたちは助け合う能力をなくしていってると思うんですよね。昔、多分持っていたものを、手放していっている。

その方が生きやすいから。成長として。誰かと食べるごはんより、一人で食べるごはんがおいしいのも、そのひとつで」（同、一四四頁）。押尾が猫を助けようとしたとき、芦川は自分では手を貸さず、習慣的に「男」に依存することを主張する。そして、押尾自身は、いつも職場でやっているように、誰にも頼らずに一人で無理をするしかない。女性同士が連帯できない社会にしたのは、二谷のような男が体現する家父長的欲望である。二谷は押尾には心の裡を語れるような友愛（のような）関係を結んでいるにもかかわらず、結局、「芦川さんみたいな人と結婚するのがいいんだろうな」（同、三六頁）と、尊敬できないような女性と結婚するのが「男」であるという社会的抑圧を抱え込んでいる。

すなわち、日本で女性として生き延びるならば、芦川のように「かわいそうでかわいい」人間になるか、あるいは押尾のように一人で孤独に生きていくかしかないのかもしれない。そう考えると、押尾は痩せ我慢をする〝隠れ〟弱者ともいえる。弱者は弱者でも、日本社会において女性として「適応」するならば、男性に依存しながら家庭的なスキルを磨く芦川のような女性をめざすのが賢明とすら思える——この悲劇的ヴィジョンに押尾のため息が聞こえてきそうである。芦川は主観が与えられないが、まさしくそういう女性こそが今の日本社会の「適応者」（あるいは、過剰適応者）である。押尾のように本音（＝クオリア）を二谷に漏らそうものなら、彼にとっての理想的な女性像がたちまち崩壊してしまう。二谷は、自分が聴きたい、あるいは知りたいことにしか耳を傾けない。芦川が作ってきたケーキを一人で夜残業している時に捨てる二谷の憎悪ともとれる行為を見ても、個がばらばらになってしまった社会が見事に描かれているのである。『約束のネバーランド』のエマたちのようにマジョリティがマイノリティの〈アライ〉になる世界が進化論の喜劇的ヴィジョンであるとすれば、押尾も、もしかするとエマのように仲間とともに「猫」（押尾と芦川）を救出して世界を変えたかったのかもしれない。しかし、それは実現しない。なぜなら、マジョリティ特権をもつ二谷のような男性が、レイやノーマン（鬼であればソンジュやレウウィス）のように主体性のある押尾のような女性の〈アライ〉となることを拒むからだ。『おいしいごはんが食べられますように』は、互いへのケアが失われた悲劇的ヴィジョンを抉り出す。この小説には、互いへのケアを希求する高瀬の願いが込められているようでもある。

9章　ダーウィニズムとケア 2——ウルフの『幕間』

1．〈ケアをする者〉の人気について

ケア実践が長いこと貶められ、社会におけるケアラーに対しては低い評価しか与えられてこなかった。しかし、近年ケアの価値は少しずつ見直され始め、二〇二〇年に小学生を対象として実施された「あこがれの人」アンケート[*1]では、一般的にケアラーとみなされる「お母さん」が二位にランクインしている。堂々の一位は、コロナ下に社会現象を巻き起こした『鬼滅の刃』の主人公、竈門炭治郎。驚くべきは、トップ10のうち七人もがこの作品のキャラクターであったことだろう。前章で、特権を持つ「強い」キャラクターが弱者に寄り添うことが『約束のネバーランド』や『鬼滅の刃』の主題でもあると論じた。これらの物語では、特権をもつマジョリティ（鬼／男）、たとえば前者ではムジカやソンジュ、後者では炭治郎や鬼殺隊の柱（リーダー格）である煉獄杏寿郎らが、マイノリティである女性や子どもの「アライ」（味方）として奮闘する。このアンケートで七位にランクインした禰豆子（炭治郎の妹）もまた、鬼になったが、強者の特権を振りかざすどころか、む

しろ人間に襲いかかる鬼に人間の「アライ」として果敢に挑んでいく。
堀越英美によるケアをめぐる『鬼滅の刃』論は興味深い。というのも、鬼化しているときの禰豆子ではなく、「強さの面ではやや劣る」が「ケアをする者」である胡蝶しのぶがこのアンケート調査の上位（三位）にランクインしていることに注目しているからだ。しのぶは「柱の中で唯一鬼の頸が斬れない剣士」である代わりに、毒を用いて鬼と戦う。堀越は、子どもたちが彼女に憧れるのは、彼女がケアラーであるからだろうと指摘する。たしかに、しのぶは負傷した鬼殺隊らをケアする治療所として自分たちの蝶屋敷を開放するだけでなく、自ら蓄積した医学や薬学の知識を人助けのために惜しみなく役立てている。[*2]
片岡大右は、この作品のケア表象を、あらゆる労働をケアの営みとして捉え直すデヴィッド・グレーバーの考え方と接続できると考える。すなわち、「乗客をケアする地下鉄職員の仕事は看護師の仕事に近いとも言えるし、橋の建設でさえも、川を渡りたい人びとへのケアとして考えることができる」というグレーバーの指摘を踏まえれば、『鬼滅の刃』においては、鋼鐵塚蛍に代表される刀鍛冶たちの「頻繁な登場」もまた剣士に対しての重要なケア実践として数えられるわけだ。[*3] 確かに、鬼殺隊の隊員たちを陰で支える人々の活躍が活写されるのもこの作品の魅力といえる。
鬼と比べると、人間は簡単に傷つき、その傷が癒えるのにも時間がかかる。しかし、竈門炭治郎も胡蝶しのぶも、その人間の弱さに敏感である点においてケアの性質を備えている。堀越自身は、二人の子どもの育児を十数年するなかで、人の弱さへの反射力が備わったという。「小さな子が転びそうになったり道路に出そうになったりしたら反射的に助けに走る」など、日常生活の中でケアする機会が増加したからだ。「ケアを欠かさない暮らしのほうが、ケアの相互作用を受けやすく、精神も安定すると実感している」と実体験に基づいてケアを論じている。「反射的に助けに走る」習慣の根底には、脆弱性を孕む存在はケアされなければならないという「信」（belief）がある。アンケート調査で浮かび上がるのは、最近の子どもたちは、弱さへの共感や反射力を示す大人に憧れの感情を抱いているということだろう。

ただし難しいのは、苦しんでいる人を助けたい、あるいはケアしたいと思っても、弱者の立場からすれば、同じ境遇にない――自分と比べれば能力の高い、あるいは強い――人間がその苦しみを理解できるのか、あるいは理解しようとする真摯な姿勢を持ち得ているのかを警戒する点だ。チャールズ・テイラーは近代文化における「人間愛」と「人間嫌い」の併存についてこう書いている。

近代文化には、人を助けたり生活条件を変えたりしようとするいかなる現実的な経験からもまったく独立した、強力な人間嫌いの流れがあるということも分かっている。言うなれば、一種の原理的な人間嫌いが存在するのである。[*4]

テイラーは、弱者が強者に抱く憎悪の例を挙げながら、近代の人間主義が潜在的に「反転」に向かう傾向にあるという。すなわち、「他者への献身から放縦で自己満足的な応答へ、人間の尊厳の高尚な感覚から軽蔑と憎悪によって力づけられた支配へ、絶対的な自由から絶対的な専制へ、被抑圧者を助けたいと思う燃えるような欲求からすべての邪魔者に向けられる烈火のごとき憎悪へ」という反転である（『世俗の時代』（下）、八三一頁）。

前章で取り上げた高瀬隼子の『おいしいごはんが食べられますように』にもこのような反転が描かれていた。穴に落ちた猫を救うためにあらゆる手を尽くすような「ケアをする者」である押尾は、会社で最弱とみなされる芦川に対しては憎悪の感情を抱いている。なぜなら、家父長的な環境にうまく適応できている「適者」は実は仕事の能力が高い押尾ではなく、仕事はあまりできないが女子力は高い芦川であるからだ。他の女性と連帯しようとするのではなく、憎悪してしまう押尾は、「わたしたちは助け合う能力をなくしていってると思うんですよね」（『おいしいごはんが食べられますように』、一四四頁）とダーウィニズム的な悲観を吐露する。人々が互いにそういう思いを響き合わせる社会では、彼女のような「不」適者にとって、適応能力の高い「強い」人間は、警戒する対象となる。

しかし、もし人々がこの人間嫌いから解放されたいと望んでいるのだとしたらどうだろうか、とチャールズ・テイラーは問う（『世俗の時代』（下）、八三二頁）。確かに、ちょっとしたきっかけで互いに心が打ち解けることは誰にでもあるだろう。そのときは、心の中で絡まり合った嫌悪や憎悪の気持ちも解れ、相手が別人のように見えるのではないだろうか。堀越がかつて仕事相手に「学級委員みたいで怖そう」と思われていたときのエピソードはまさにそれだ。彼女が相手の警戒心を解くために行ったのは、自分は徹底的な弱者であるというアピールであった。「学級委員なんてとんでもない。私は校庭に転がっているコーラの空き缶に蟻が行列を作っているのを授業中ずっと眺めているようなぼんやり者」と自分を評している。その言葉を聞いた仕事相手の表情が「警戒から共感」に変わったというのだから、自分を相手の目線、あるいは立場に合わせることがいかに重要かがわかる。

2．比喩としての「病気」——功利主義と進化論に抗う

ヴァージニア・ウルフの「病気になるということ」というエッセイで効果的に用いられるのも、やはり弱者の立場性である。ここでは「病気」が弱者の比喩になっている。クリスティーヌ・レイニエによれば、ウルフの時代に至るまでの男性知識人たち——文学史家でもあった父親のレズリー・スティーヴンを含む——は「健康至上主義」的な倫理学、あるいは強者志向であった。ウルフは「健康」を過剰に評価する価値に対抗するために「病気」を擁護したのだ。[*5]「直立人的な」(upright) という言葉を用いてウルフが批判するの

は、自分の力でなんでもできる人が（おそらく無自覚のまま）上から目線の態度をとってしまうことである。まさに現代の文脈でいうところのいわゆる一般的なイメージとしての「学級委員」である。ウルフは、「直立人」ではなく病気をして床に伏す「横臥者」(recumbent) にこそ、豊かな想像世界が広がっており、その点で評価されるべきであると考えている。

それでは、いったいどのような人が「直立人的」といえるだろうか。[*6] ウルフの母親ジュリア・スティーヴンが病気がちだった祖母の看護を行っていたことは比較的知られているが、重要なのは、ウルフと母親の違いである。ウルフは横臥者の立場から世界を見つめていたが、ジュリアは看護する立場から横臥者を眺めていた。父のレズリー・スティーヴンも人間が健康である状態を理想と考える。彼の思想は、まさにジェレミー・ベンサムの功利主義とチャールズ・ダーウィンの進化論を掛け合わせたようなものだった (Reynier, p.130)。スティーヴンは功利主義の思想に触れながら、進化論の言説に依拠する。彼にとって幸福というものは、自然の法則に「適合」(conformity) すれば得られるものである。そしてその自然の法則というのは「強くあれ」「健康であれ」という偉大なる教えであった。[*7] 別の論文でも、スティーヴンは道徳を「健康」と「病気」の対比によって定義した。[*8]

このように、ウルフが「病気」を評価した思想的背景には父親への反発があったが、さらにT・H・ハクスリーやG・E・ムアの色濃い影響も見てとることができるだろう(同、p.131)。たとえば、ムアはスティーヴンが掲げているような功利主義による影響は認めているが、それが「一般にあらゆる社会状態において手段として善であると主張」はできないと明確に述べている。*9 すなわち「われわれが徳という名称で呼んでおり、本当にその定義に合致する性向の大多数は、(中略)少なくともわれわれの社会にとっては、何ら内在的価値をもっていない」というわけだ(『倫理学原理』、三一一頁)。健康が「徳」であるとみなされている価値もまた普遍ではないということになる。「健康であれ」という進化論的な命令に「内在的価値」はないというムアの考え方は、ウルフの心に響いたにちがいない。

「病気になるということ」を読めば、健康だけが評価されることに対してウルフが疑義を示していることは明らかである。

なるほど、健康なときには親切そうに見せかけないといけないし、努力を続けなくてはならない——人づきあい、文明化、分かち合い、荒地の開墾(かいこん)、現地人の教育、そして昼に協働して夜に気晴らしをするといった努力を。病気になると、こうした見せかけはおしまい。ただちにベッドに横になるか、椅子にいくつも枕を置いて深々と座り、もう一つの椅子に両脚を載せて地面から一インチばかり引き上げる。そして私たちは直立人たちからなる軍隊のしがない一兵卒であることをやめ、脱走兵になる。直立人たちは戦闘へと進軍していくけれど、私たちは棒切れと一緒に川に浮かんだり、芝生の上で落ち葉と戯れたりする。責任を免れ利害も離れ、おそらくは数年ぶりで周囲を見わたし、見上げる——たとえば空を。[*10]

母や父のような「直立人」たちは「戦闘へと進軍」する兵士たちである。あるいは他者を取り締る「警察」である。他方、ウルフは「脱走兵」になる。進化論的な文脈では、脆弱性や病気は負のイメージしかなかったが、ウルフは、そのイメージを転覆させたのである。コロナパンデミック下でも、「直立人」を彷彿とさせる「マスク警察」をめぐるトラブルが多発した。マスクを未着用の人を見つけては取り締る人と、マスクのことで注意される人たちとの間で起こる争いである。[*11]

文明社会においてもまだ暴力という野蛮さと決別することはできない。これを主題としてモダニズム期に文学作品を描いていたのが、ウルフと彼女の友人でもあった詩人T・S・エリオットである。エリオットは「直立したスウィーニー」（Sweeney Erect, 一九一七－一九一九年頃執筆）という詩のなかで「直立」する人間を描いている。そのスウィーニーは他の作品にも度々登場した。「若くて、強健な肉体をそなえ、体毛は濃く、（中略）粗野で好色、無頓着、時として野獣的」という原始的な人間を投影させたペルソナである。[12] ウルフの最後の小説『幕間』にも、まさにこのイメージに符合する登場人物が描かれる。

3. ウルフの『幕間』を読む

ジリアン・ビアが指摘するように、「〈T・S・エリオットの〉『荒地』から〈ヴァージニア・ウルフの〉『幕間』にいたるまで、モダニズムの著述の多くにあって根柢をなしていたのは、神話的な同時併存性であった」。エリオットやウルフが描いたのは、同時代的な（つまり二〇世紀の）「現在」の局面ばかりでなく、原初の記憶を辿って「同一化」された根源的なあるいは原初的な経験でもあったとビアは強調する。[13] モダニズムの場合、進化論でいうところの「失われた環（ミッシング・リンク）」は、「過ぎ去ったもの、抹消されたもの」とは見なされず、「現在に浸透し、現在を攪乱する」ものである（『未知へのフィールドワーク』、二一六頁）。ウルフの小説世界には、この未開社会の人間のイメージと同時代人たちが重ねられている。『波』の最後でバーナードは、現在と過去を繋げて語る。「遠くへ、深くへと去ったものを、この人生あの人生に埋めこまれ、いまやその一部と化したものを、呼び起こさねばならない」。そこには「あのいにしえの獣もいれば、野蛮人も、またロープのように繋がった内臓に指を突っこみ、がつがつ喰らってはげっぷし、口から出るのはしわがれ声、腸（はらわた）の音という、毛むくじゃらの男も――そう、彼もここにいる」[14]。

『幕間』では、このような原初的な野蛮性と二〇世紀のウルフが生きた時代が共鳴している。この小説は一九三九年六月のある夜からその翌日までが描かれているため、まさに戦争の暴力が影を落としている時期にふさわしいと言えるだろう。片山亜紀によれば、「人々がいつもと変わらない日常を送り、七年目となる野外劇上演の成功に心を砕いているようでいながら、戦争が近づいていることも頭から離れない」、そういう状況だ[15]。この小説には、ポインツ・ホールで生活をするオリヴァー家の人々――バーソロミュー（バート）とその妹ミセス・スウィズン、バートの息子ジャイルズ・オリヴァーとその妻イザベラ・オリヴァー（アイサ）――に加えて、近隣の農場経営者ルパート・ハイネスとその妻、ミセス・マンレサ、それから野外劇を上演する劇作家ミス・ラトローブらが登場する。

観客に向けてミス・ラトローブが、「きわめて限られた財源のみを使って」創作したのは、イギリスの歴史を過去から現在までたどる歴史劇で、途中で「文明（塀）の崩壊」も起こる[16]。第一幕ではエリザベス一世時代、第二幕では一八世紀のアン女王時代、第三幕ではヴィクトリア時代、そして最後の幕ではウルフの時代を表現している。ウルフが幼少期から成長する過程というのが後期ヴィクトリア時代にあたり、人々は厳格に道徳を遵守することを期待されていた。それが、ウルフが成人した頃には、ムアのような哲学者が、

「徳」の内在的価値を否定するようになり、次第に「強くあれ」「貞節であれ」といった規範や「徳」が普遍性を帯びなくなる。興味深いのは、『幕間』において上演される劇で演じられるロマンスに誘われるように、「徳」と見なされていた行為から観客たちが逸脱していくことだ。たとえば、ジャイルズ・オリヴァーの妻アイサは、グレーの服を着たルパート・ハイネスが「モチノキの陰で人ごみに紛れてしま」うのを目で追っている。ミセス・マンレサにいたっては、妻帯者のジャイルズに性的魅力を感じている。また、彼女は家父長的な価値観を内面化し、マチズモの暴力性を男らしさとして受け入れている。

彼〔ジャイルズ〕はやってきた。それで何を――彼女は足もとを見た――靴で何をしたのかしら？　血痕がついていた。この人は自分が勇敢だと証明したかったのね、おぼろげに、わたくしに褒めてほしくてそうしたのねという気がして、彼女は有頂天になった。おぼろげではあっても甘美な感覚。（中略）この男性（ひと）はわたくしの英雄、不機嫌な英雄。（『幕間』、一三二頁）

マンレサが「英雄」と呼ぶジャイルズは「筋肉質で毛深くいかにも男らしし」く、エリオットのスウィーニーを彷彿とさせる。ジャイルズが俯いて考えているのは彼の妻のアイサではない。誰のことを考えているかはあえて断定せず、「ミセス・マンレサのことだろうか?」と留保している。そして、彼の特徴として挙げられているのは、靴についた「血痕」である。ミセス・マンレサは、それを勇敢である証だと考える。

ジャイルズとアイサ夫婦だが、二人になると、「敵意が剝き出しになった」(同、二六三頁)。興味深いことに、ウルフはこの夫婦の敵意だけでなく愛も描写する。

> 二人きりになると、敵意が剝き出しになった――そして愛も剝き出しになった。眠る前に、彼らは闘争しなくてはならなかった。闘争のあとなら抱擁するかもしれない。その抱擁から、もう一つの生命(いのち)が生まれるかもしれない。でもまずは闘争しなくてはならなかった――闇の奥(ハート)、夜の戦場で、雄ギツネと雌ギツネが戦うように。(同、二六三頁)

ウルフは、人間にとって敵意と愛は共存するものとして描いている。闘争のあとに「抱擁」という前向きな兆しがあらわれるが、その闘争のなかでジャイルズの暴力性も剝き出しになるかもしれない。いつの時代にも文明における理性と統制だけでなく、未開の野蛮や暴力性が人間の性質として顔をのぞかせている。この場面では、ウルフのそういう人間観がうかがえる。ただし、ウルフがこの作品でそれ以上に強調するのは、人間が互いにケアする生き物でもあるということだ。渡辺祐真による『幕間』の解説には、それを表す象徴的な場面が引用されている。[*17]

ミセス・スウィズンは十字架を撫でた。ぼんやりと風景を見つめた。想像の周遊旅行に出ているんだろう、あらゆるものを一つに結んでいるのだろうと、彼らは推測した。羊たち、雌牛たち、草の葉たち、樹々、わたしたち——万物は一つ。たとえ不協和音が混じろうともハーモニーは生まれる——われわれにはそう聞こえなくても、大いなる頭についた大いなる耳はそう聞き取ってくださる。だからこそ——彼女は穏やかに微笑んでいた——（中略）遠くの金の風向計に向かって、彼女は熾天使（セラフィム）を思わせる顔つきで微笑んでいた——もしわれわれも聞き取れるものなら、すべてはハーモニーを奏でているという結論になる。だからそういう結論にしておきましょう。（同、二一二頁）

ウルフが『波』で表現しようとした人と人との調和がここに描出される。ミセス・スウィズンは理想主義的な面を持つウルフの分身なのかもしれない。他方、ミセス・スウィズンの兄バート・オリヴァーはその調和の「外」にいる「理性」の体現者である。バートと妹のミセス・スウィズンの対照的な性質は次のような文章からもうかがえるだろう。

兄〔バート〕は理性の松明を掲げ、洞窟の暗闇の中でやがてその炎も消えてしまうところまで進んでいく。彼女は毎朝跪き、自分のヴィジョンを守る。毎晩、彼女は窓を開け、空を背景に生い茂る葉っぱを見る。それから眠りにつく。そして、てんでに紙テープを投げているみたいな鳥たちの声に起こされるのだった。（同、二四八頁）

そして、「妹は何でも統合したい種族の人間だから。一方のぼくは、物事を分割しておきたい種族の人間だ」とバートはいう（同、一四五頁）。『幕間』という小説が異彩を放つのは、渡辺の指摘通り、登場人物たちが互いにそっとケアしあうからである。ミセス・スウィズンの理想主義に対して、「ああ、もしそう思うことでこの人が安心できるというのなら、そう思っていてもらいましょう」と、アイサとウィリアム・ドッジ（ミセス・マンレサの友人）は彼女の両側で微笑み合う（同、二一二頁）。

他方、直立人的なジャイルズが向かう方向性は、『鬼滅の刃』でいうと、他者が傷ついても自分の意志を押し通そうとする鬼舞辻無惨や累（クモの少年鬼）に近い。ジャイルズは暴力と意志で人生を切り開く人物として描かれている。「ジャイルズが察するに、意志（ウィル）あるところに道は拓けるということ。」言葉たちが立ち上がり、嘲って彼を指差した。女とグレトナ・グリーンへ――やっちまえ。結果なんか気にするな」という彼の意識の流れが示された後、ジャイルズはミセス・マンレサに「温室を見たい？」と誘う（同、一八二頁）。

ウルフの『幕間』と『鬼滅の刃』との間には八十年もの隔たりはあるものの、直立人的な、つまり他者の意向に関係なく自分の「意志」を貫こうとする生き方が批判的に描かれている点でも近接性がある。

ウルフはデビュー作『船出』のみならず、その後、代表作となる『ダロウェイ夫人』、『灯台へ』、そして『波』などにおいて、意識の流れという語りの手法を用いながら、自己の内部をひたすらに描出しつづけた。野島秀勝によれば、すでに『波』を書いてしまったウルフにとって、この人間内奥を凝視するヴィジョンの危険は誰よりも鮮明に理解できた。「ウルフは、真の作家なら必ずや一度は訪れて来る自己のヴィジョンへの反抗という不幸あるいは幸福を企てねばならなかった」と野島は述べている。[*18] これまでの各章では、ウルフが綴る内面世界について多くの紙幅を割いたが、実は内面を描いた彼女の最高傑作『波』からは「外」が締め出されている。というのも、小説の視点人物の内部に複数の他者が投影されているような形で登場人物たちが「コミュニオン」(集合体)という調和を渇望し、またそれを実現し、いつまでもその記憶を保持しているからだ。そういう意味で『幕間』は、一転して、「外」の声を表そうとするウルフの新しい試みだったのかもしれない。アイサとウィリアム・ドッジがミセス・スウィズンの両側で微笑み合いながら、他者の気持ちを(たとえそれが分からなくても)許容し、尊重する。他方、ジャイルズのように他者の意志に関係なく行動する人物も描かれている。驚くべきは、ウルフはいずれの登場人物にも「特権的な立場」を与えていないこと。とりわけ「病気になるということ」を書いて以来、進化論的な「強くあれ」「健康であれ」に抗して「弱くてもいい」「病人でもいい」という流動的な価値を許している。ミス・ラトローブの劇の観客たちの「みんなが何者でもなかった（中略）宙吊りにされたまま、実在することもできず辺獄にいる」（同、二一六頁）という言葉は奇妙にウルフ的である。

10章　ピアグループとケア――オスカー・ワイルドの『つまらぬ女』

1. ウルフの「ある協会」とピアグループについて

パンデミックの影響を受けている非正規雇用やシングルマザーの女性の困窮が深刻さを増していることは、様々な調査で明らかになっている。コロナ下における自殺率の推移を見ると、二〇二〇年一月から六月の自殺者数は前年度と比較して減少していたが、男女とも七月から五カ月連続で増加し、中でも女性の自殺率が急増した。この事実は「大きな衝撃をもって受け止められた」[*1]。飯島裕子によれば、最大の苦境に立たされたのがシングルマザーだという。二〇二〇年七月に実施された調査（一八一六人回答）では、約七割のシングルマザーがコロナによる雇用や収入への影響があったと回答。とりわけ非正規雇用への影響は顕著で、「勤務日数や労働時間が減少した」「収入が減少した」と答えた人が五割になっている（『ルポ　コロナ禍で追いつめられる女性たち』、三九頁）。

社会的に不利な立場に陥りやすい女性たちは、苦労を共有するために集まる〝ピアグループ〟に居場所を見出すことがあるという。たとえば東京ボランティア・市民活動センターは、「篠田さん」という非正規雇用で働く独身女性が「しごととくらしのセーフティー講座」を受講したのをきっかけに、ワークショップなどの講座活動で顔なじみになった数人と「にょきにょき会」というピアグループを結成した事例を紹介している。篠田さんは、以前は既婚者の人たちと話すことが多く、そのとき「あなたは違うのね」という雰囲気を出されたり、「まだ（結婚や出産が）いけるでしょ」と、明らかに「気遣いでも、ほめ言葉でも」ないような固定観念を押しつける態度を取られたりして、悲しい思いをした。他方、このグループのメンバーとは悩みに対しての向き合い方が似ていたり、分かち合える部分がたくさんあるのだという。[*2] 筆者は当事者としてピアグループに参加したことはないが、大学時代に卒業論文の研究調査の一環として、子育てで困難を抱えている関西圏の女性たちのピアグループに何度か足を運んだことがある。夫がつねに強引な態度で迫ってきたり、暴言を吐いたりすることに疲れた女性や、離婚後に子どもの養育費を一切払ってもらえず生活に困窮している女性もいた。その女性たちの追い詰められたような表情は今でも心に刻まれている。ケアに関心を持つようになった筆者にとって、このピアグループへの参加が原体験だったのかもしれないと思うことがある。

ピアグループと聞いて、どのような集まりを思い浮かべるだろうか。村上靖彦は、こういったグループを「支援者 vs. 被支援者というヒエラルキーから離れて、同じ立場のフラットな関係のなかでケアが可能になる場所」であると特徴づけている。[*3] 彼が指摘するとおり、「社会のなかで生きる私たちにとって、一対一の人間関係でつくられる自己感はごく一部であり、そのほとんどは複数の人と共に居る環境で生まれる」(『ケアとは何か』、一二七頁)。友達にも、親にも、きょうだいにも、誰にも言えないことを、「仲間が見守るなかで、語りながらたどっていく自己の歴史の再認識というプロセス」を経ることで、新たな自己感を生み出すことができるグループなのである。もちろん、仲間と共にいられる場所としても重要だが、「存在の感覚を失った人が自分の〈からだ〉を回復するプロセス、グループのなかで自分の歴史を確認するプロセス」といったケアが受けられる場としても機能する(同、一三二頁)。もちろんピアグループは、依存症や精神疾患など様々な苦難を抱える男性を含む多くの人々の居場所となり、二一世紀に入った頃から多様な場所で広まってきたが、特に女性にとって重要な機能を果たしてきているのではないか。それは女性たちが様々な抑圧から、あるいは経済的な格差によって苦しめられてきたからだ。

もしかすると現代社会に広がりつつある、このようなピアグループの原型(プロトタイプ)をヴァージニア・ウルフの「ある協会」(A Society, 1921)という短編に見出すことはできないだろうか。この作品に描かれる若い女性たちはある種の自助グループを結成し、社会における女性の苦難について互いの思いを語り合っている。ウルフがこれを書くきっかけになったのは、アーノルド・ベネットという男性知識人が「知性において創造性において、男は女より優れている」など、明らかに女性蔑視といえる内容の評論を出版したことだった。彼女がそれを目にしてから「ある協会」を執筆するまでの顚末を訳者の片山亜紀が詳述しているので紹介する。ウルフはそれに対する反論の投書をしたが、その『ニュー・ステイツマン』誌一九二〇年十月九日号の誌面には編集者デズモンド・マッカーシーの反論も添えられていた（「教育を受けても、純粋な知性を働かせなくてはならない分野では、男と肩を並べる女はいない」など）。ウルフが再度投稿した文章には、親戚の不在、コミュニティの不在、出産と育児の負担など「さまざまな逆境を列挙」していたようだ。[*4]
「ある協会」とは、男女の立場の違いから生ずる苦労や問題について互いに語り合うため、女性たちがそれぞれ文学界、法曹界、美術界などの男性社会に潜入する物語でもある。「ある人は大英博物館へ、別の人はイギリス海軍へ。ある人はオックスフォードへ、別の人はケンブリッジへ。私たちはロイヤル・アカデミーを、テート・ギャラリーを訪れ、演奏会でいまどきの音楽を聴き、裁判所に行き、新しい芝居を鑑賞した」[*5]。女性たちが五年後に再会し、語り合う場では戦争の話になる。大学に行ったカスタリアという女性は、カッサンドラに向かってこう言う。「男の知性を信じるのが最大の誤りだってこと、わからないの？」おそらくこれは権力や戦争という形で暴力をふるうことに対しても批判しているのだろう。男の子が、いずれ権力が与えられるような職業、たとえば弁護士や教授職などに就いたら「彼は会う女すべてに慇懃に振舞い、妻にだって本音を言わない」のではないかと想像しながら、「何とかして男たちに出産してもらう方法を考えましょう」

と幾分突飛な発想をしている。さらに、カスタリアは生命を育むという「そういう無垢の仕事を男たちにさせなかったら、よい人間もよい本も手に入らず、彼らの途方もない活動の成果のためにみんな絶滅」するだろうという意見を述べている（「ある協会」、三〇～三一頁）。今のロシア軍によるウクライナ侵攻に鑑みると、カスタリアの――あるいはウルフの――発想はそう突飛でないのかもしれないと思う。反戦思想を綴ったウルフのエッセイ『三ギニー』も含め、戦争をしたがる男たちに対するウルフのこのような考えは当時の戦間期に彼女の心の大部分を占拠していたのだろう。ウクライナでの戦争が続いている今、ウルフの小説を読んでも全く古びて感じない。「ある協会」は、逆境に苦しめられる現代の女性たちが探し求める居場所でもあるのではないだろうか。

2. ワイルドが描く「自分ひとりの部屋」

人間は生きていると想像もしなかった逆境に出会うことがある。たとえば、ずっと健康であった自分の体が、ある日突然恐ろしい病に蝕まれ始めることだってある。あるいは、幸せな結婚を夢見て、好きな人と愛を育んでいたはずが、その男性が突然亡くなったり、または男性が心変わりしたりして、何の心の準備もないままシングルマザーになることもあるだろう。孤立や病のみならず、貧困など、人間が突如として直面する不条理は数え切れないほどある。このような局面であっても、肯定的な思考に転換できることがあるという。「不条理に押しつぶされることなく、直面することができるようになる段階、もうひとつは、語りえなかったことを語ることができるようになり、生を自ら形作ることができる段階」である（『ケアとは何か』、一四一頁）。

いつの時代も、女性が自分の力で生きていくためには、五百ポンドと自分ひとりの部屋が必要だといったのもウルフであるが、彼女が『自分ひとりの部屋』という本を世に送り出す以前に、女性が持ちうる「自分ひとりの部屋」について書いたのは、一九世紀末の作家オスカー・ワイルドだった。「謎のないスフィンクス」という短編で、マーチソン卿という人物が夢中になる謎めいた女性、アルロイ夫人が借りていた部屋のことだ。マーチソン卿は、彼女が誰かと会うための部屋だと思い込んでいたのだが、彼女があっけなく肺炎で亡くなった後、実際にその部屋を訪ねてみると、この場所がアルロイ夫人の「自分ひとりの部屋」だったことがわかる。「ここで誰かと会ってたんですね？」と密会を疑うマーチソン卿に部屋の管理人と思しき女性が言うには、アルロイ夫人は、「ただ応接間にいらして、ご本を読んだり、ときどきお茶を召しあがったり」したと答えている。[*6] アルロイ夫人はそれだけのために週三ギニー（現代の価値で三万九千円ほど）[*7]を支払っていたというのだが、当時の女性にとってひとりで本を読んだりする居場所を確保することにそれだけの価値があったのだともいえる。

ワイルドは、「幸福な王子」などの児童文学において、貧困層へのケアを主題に物語を書いていたが、彼は実は女性たちの助力者でもあった。「新しい女」、すなわち時代の規範に従う女性ではなく、公共圏でも役割を担うような、ジェンダー規範を脱する女性たちの仕事を支援した。カッセル社から依頼された『淑女世界』誌の編集長という仕事は、もちろん生活費のために引き受けたのだったが、*8 それでも、タイトルを『女の世界』に変更するなど、女性が「身につけるもの」から「ワイルドは、声なき者である女性たちの声を社会に届ける役割を引き受けていたといえる。女性がどう考え、どう感じているか」を扱う雑誌にするために抜本的な改革を行っている。角田信恵によれば、ワイルドの狙いは女性の政治参加を促すことにあったが、それだけにとどまらなかった。彼はあるインタビューで、戯曲『つまらぬ女』(『なんでもない女』)に登場する「新しい女」ヘスターのセリフをそのまま語っているのだという。「男のための法と女のための法が違うのは、実に恥ずべきことだ」という言葉だ。そして、それは当時の「新しい女」たちのイデオロギーを代弁するものでもあった。しかし、彼は戯曲の引用につづけてこう言っている。「だれにも法はあってはいけない」。これはすなわち、ワイルドは、「新しい女」を支援し、彼女たちの代弁を試みる一方で、男女のダブルスタンダードを成立させている法そのものの無効化を目指し、『女の世界』でも「新しい女」たちの障害を乗り越える術を模索していたのだ。*9

3. 女性の連帯とジェイン・ハリスンのサッポー像

一九世紀から二〇世紀初頭のイギリスでは「新しい女」たちが現れ始めるが、同時期に「スフィンクス」も「キルケーやヴァンパイアやサロメと並んで、女性悪を表象するモチーフとして西欧世界で広く用いられていた」(『オスカー・ワイルドにおける倒錯と逆説』、一〇九頁)。ワイルドが描いた寡婦のアルロイ夫人は、角田に言わせれば、「娘ではないから、処女性という重圧」からも、「献身的な母であれ」というヴィクトリア時代の「家庭の天使」の軛(くびき)からも自由なのだ(同、一一〇頁)。「新しい女」について考えるとき、忘れてはならないのが、ワイルドが編集していた『女の世界』に寄稿していた女性たちである。作家のダイナ・マリア・クレイクや「サッポー」についての記事を書いたジェイン・ハリスンがいる。ハリスンは、古代ギリシャの宗教と神話の現代研究の創始者の一人で、ケンブリッジ大学(ニューナムカレッジ)のフェローだった。晩年しばらくパリに住んでいたが、一九二五年にロンドンに戻り、ウルフ夫妻が立ち上げた出版社、ホガース出版から回想録を出版しており、ウルフとも直接交流があったことがわかっている。奇妙な共通点は「サッポー」への深い関心である。

サッポーとは、古代ギリシャの九詩聖にも数えられるほどの偉大な女性抒情詩人で、とくに愛についての詩が有名である。ウルフは愛猫を「サッポー」と名付け、ハリスンはワイルドの雑誌に「サッポー」についての記事を寄稿していた。文芸で名声を得た女性たちに冠されるこの名前はレスビアニズムと関連付けられたがために（「サフィック／サッポー風の」（Sapphic）は女性同性愛者を、「サフィズム」（sapphism）は女性同性愛を示す）彼女たちの作品も社会に抑圧されてしまうという諸刃の剣でもあった。オウィディウスは性的に「淫らな」サッポーを強調するなど[*10]、否定的に描かれることもあった。しかし、ハリスンにとって、サッポーは単なる神話や女性同性愛のテーマを語るきっかけではなかった。彼女が『女の世界』に寄稿した論文「サッポーの絵」では、知的な生活を送る女性のモデルとしてのサッポーについて語った。女性の共同体は芸術家や学者を育て、その環境こそがサッポーに「女の世界」を繁栄させることを可能にしたと主張している[*11]。彼女はウルフと同じで、深刻な鬱病に苦しみ、自分自身を治そうとしてギリシャ美術やヘレニズムのより原始的な分野を研究し始めた学者であった。ヨーピー・プリンズによれば、ヴィクトリア時代のケンブリッジにおいては、ヘレニズムとフェミニズムは、ジェンダーとセクシュアリティの新たな地平を形成するのに役立った[*12]。当時の女性読者にとって、多くの定期購読の記事が「ギリシャなどの過去の文化的達成や現在〔一九世紀当時〕の政治的関心に直結するような場としてみなされ」、魅力的に映ったのだろう[*13]。ハリスンも、ウルフ同様、この論考では「協会」のような、ピアグループ的な連帯が実現する社会を思い描いている。つまり、彼女は、女性が一般的に「連帯できない」「社交クラブのメンバーになれない」（not clubbable）と評されていることに異論を唱えているのだ。その根拠はサッポーの時代に女性たちは「メンバーだった」からだという（Harrison, p.276）。

4．ワイルド流のフェミニズム

ワイルドの戯曲『つまらぬ女』には自立心が旺盛で、しかも女性同士が連帯する「新しい女」たち、ヘスター・ワースリーとアーバスノット夫人が登場する。ヘスターは年若い、正義感の強い、純潔さを訴えるような多少潔癖症の気がある女性でありながらも、家父長的な価値観には染まっていない。他方、アーバスノット夫人は「処女性という重圧」からも、「家庭の天使」というステレオタイプからも解放された「謎のないスフィンクス」のアルロイ夫人のような女性である。その一例として以下のハンスタントン卿夫人との会話を挙げる。「家庭の天使」のように何でも許すべきという彼女の主張をアーバスノット夫人は却下している。

ハンスタントン卿夫人　あら！　わたしたち女は何でも許すべきじゃないかしら、ねえアーバスノットさん？　きっとあなたならその点賛成してくださると思うけど。

アーバスノット夫人　反対ですわ、ハンスタントン卿の奥様。女が許してはならないことがたくさんあると思いますのよ。[*14]

こうして最初アーバスノット夫人はハンスタントン卿夫人とも誰とも連帯しないかに見えるのだが、そこには秘密があった。アーバスノット夫人はかつて男性に裏切られたシングルマザーだったのだ。当然、特に男性に対しては「許してはならないこと」もたくさんある。彼女が劇中で初めて女性と連帯するのはヘスターの倫理観の中に自分と同質のものを見出したときであろう。[*15]

「人生について何ひとつ知らなかった」娘時代のアーバスノット夫人は、かつてジョージ・ハーフォードという名前だったイリングワース卿に誘惑され、彼を「愛するように仕向け」られた。彼女は「とても若かった」ので、彼の結婚の約束を素直に信じてしまった。イリングワース卿はいつになっても約束を果たしてくれる気配はない。息子のジェラルドが生まれる前になって、「なんの罪もない子供が母親の罪をかぶらずにすむ」から、「どうか結婚して」と懇願したアーバスノット夫人の頼みを彼は拒んだ。ようやくこのことを成長した息子のジェラルドに話すとき（この時点ではまだこの話の娘がアーバスノット夫人自身のことであるとは言わないが）、シングルマザーの苦しみを吐露している。

子供が生まれると娘はその子を連れて、かれのもとを去り、その人生は滅茶滅茶になり、その魂も破れてしまい、心のなかにあったやさしさも、善良さも、純粋さも、すべて失なわれてしまった。女はひどく苦しんだ——今でも苦しんでるわ。これからもずっと苦しむだろうよ。女にとっては喜びもない、平和もない、罪の贖いもない。囚人のように鎖を引きずっている女なのよ、仮面をつけている女なのよ、癩病やみのように。火もその女を浄めることができない。水もその苦痛をしずめることができない。癒してくれるものは何ひとつない！　どんな鎮痛剤を飲んでも眠れない！　阿片を吸っても忘れられない！　その女は死んでしまったのよ！　その魂は地獄に堕ちてしまったのよ！　だからこそ母さんはイリングワース卿を悪い人と呼ぶの。（『つまらぬ女』、三三〇頁）

この物語は、最初は「罪を犯した女は罰せられるべき」と言っていた潔癖症気味の、清教徒的なアメリカ人のヘスターの共感を呼ぶ。母親とイリングワース卿の過去を知ったジェラルドは、二人は結婚すべきだと母を説得しようとする。ジェラルドが、それは「義務」だと訴えるのだが（同、三四一頁）、その話を聞いたヘスターは「それ〔イリングワース卿との結婚〕こそほんとうの恥辱」になると言ってアーバスノット夫人の考えを擁護する。「かれから離れてわたしと一緒に行きましょう。イギリスだけが国ではありませんもの」

と言いながら、アーバスノット夫人の気持ちに寄り添い、ヘスターはジェラルドと結婚することを決意する。「ひどい貧乏」のアーバスノット夫人とジェラルド親子にとっては救済となり、そもそもヘスターもジェラルドをずっと「愛していたのですから」というまるでお伽話（を反転させたようなもの）のエンディングであるが（同、三四二頁）、これこそがワイルドのフェミニズムの表明の仕方であるといえよう。

社会的に不利な立場に陥りやすいのはやはりいつの時代でも女性であることが多い。ウルフが「ある協会」で考えたような自助グループは、彼女の友人であったジェイン・ハリスンにとって見れば「サッポー」の時代の教養ある女性たちが象徴する「連帯」あるいは「クラブのメンバー」を意味する。現代では、苦労を共有するために集まる〝ピアグループ〟がその発展形と言っていいだろう。「謎のないスフィンクス」のアルロイ夫人は後期ヴィクトリア時代の女性に相応しく、「肺炎で五日後に死んでしまった」（「謎のないスフィンクス」、三九五頁）が、それでもアルロイ夫人が読書のための「自分ひとりの部屋」を持っていたことの象徴的な意味は大きいだろう。もしかすると彼女もまた、同志となるヘスターのような女性との信頼関係を築くために部屋で手紙を書いていたのかもしれない。あるいは、ウルフやハリスンのように、女性の連帯の物語を密かに綴っていたのかもしれない。女性が孤立させられる社会においては、「ある協会」や『つまらぬ女』のような女性たちが連帯する物語がもっと語られてもよいのではないだろうか。

11章　カーニヴァル文化とケア——ルイス・キャロルの『不思議の国のアリス』

1. 〈ケア〉と〈正義〉の問題

ルイス・キャロル（Lewis Carroll, 1832-1898）の『不思議の国のアリス』（*Alice's Adventures in Wonderland*, 1865）は、幼い少女アリスが白ウサギを追いかけて穴に落ち、不思議の国に迷い込んで様々なキャラクターに遭遇する冒険物語である。おかしな競走のルールを決めるドードー鳥、アリスにあれこれ問いを突きつけてくるイモムシ、彼女に道を教えるチェシャー猫、狂気じみたお茶会を開いている帽子屋、「遊び」（play）の話をするグリフォンとニセウミガメ、すぐに誰かの首をはねようとするハートのクィーン、トランプの兵士たちなど、現実からかけ離れた物語が繰り広げられる。

冒頭場面で、アリスがウサギ穴に落ちてたどり着いたのは広間であったが、そこから出ようとすると小さな扉しかなかった。その扉を抜けるにはアリスの身体は大きすぎるのだ。テーブルの上には金の鍵と小瓶があり、その中の液体を飲んでみると身体は縮んで小さくなって扉を抜けられるサイズにはなった。だが、鍵をテーブルに置き忘れてしまい、また大きくならなくてはならない。今度は、「我レヲ食セ」と書かれた小さなケーキを発見したので、それを食べると身体はたちまち大きくなった。[*1]

キャロルは本名をチャールズ・ラトウィッジ・ドッジソンというオックスフォード大学の数学講師であったが、そんな彼が、なぜ子どもを主人公としたファンタジー小説を書いたのだろうか。じつは、彼が、同僚の娘であるリドゥル三姉妹——アリス、ロリーナ、エディスとボート遊びをしていたときに即興でつくって聞かせた物語が『不思議の国のアリス』のもとになっているのだという。一八六二年七月四日の午後のことだった。キャロルはこれを手書きの本にしてアリスに贈ったが、知人たちの好評に後押しされて出版に踏み切った。このアリス・リドゥルこそが、この主人公のモデルである。主人公の身体が小さくなったり、大きくなったりする場面を、少女が成長する過程で経験する身体の変化や性に関する不安を象徴的に表しているという批評があるが、実在するアリスという少女の成長をテーマとしていたなら、その解釈にはそれなりに説得力がある。[*2]

しかし、キャロル自身は、アリス・リドゥルたちが「成長」して大人の世界に順応してしまうことを手放しで喜んでいたわけではない。なぜなら現実の大人の世界には彼が忌避したくなるような風潮が蔓延っていたからだ。『不思議の国のアリス』が書かれたのは、ダーウィンの進化論や「適者生存」の考え方が世間を騒がせていた時代でもある。ヴィクトリア時代の現実を生きる人々は、とりわけ貧困層の人々は、生活を破綻させずに生き延びるための競争に勝ち続けなければならないという苦しみがあった。それが大人の世界の理でもあった。もちろん経済的な意味においてのみならず、上流階級の人々にとっても、おそらく社交界や政治の世界で生き残るため、地位やそれに付随する権威に従わざるを得なかっただろう。

ピーター・コヴニーは、キャロルには「大人の世界」(adult world)を忌避する傾向があり、その原因の一つに彼の「神経症」(neurotic)があると指摘している。[*3] より最近の研究では、キャロルは吃音があり、自閉スペクトラム症であったとも言われている。[*4] 極端に大きくなったり、極端に小さくなったりするアリスの身体も、大人になることへの躊躇、あるいはコヴニーの言葉を借りれば幼少期への「ノスタルジー」、フロイト的には「退行」(regression)の寓意であると考えることもできる(Coveney, p.328)。また、吃音症のキャロルは、伊藤亜紗の言葉を借りれば、「どもる言葉」ではなく「どもる体」を抱えているのであり、「意識の手」を離れた、すなわち、「タガが外れた体を心が俯瞰している」状態を経験していたのだ。[*5]

本来「退行」や吃音は否定的な意味を帯びるが、キャロルにとっては、思い通りにならない身体も想像力の源泉であった。また、脳の多様性——ニューロダイバーシティ——の観点から考えれば、自閉スペクトラム症であったキャロルにとってみれば、「成長」や「能力」もそう単一の物差しで測れるようなものではなかった。文学研究者で、自閉スペクトラム症とADHD（注意欠如・多動症）の診断を受けた横道誠によれば、発達障害は発達が平均とは異なり、「能力のデコボコが生まれている」のだという。たとえば、「子どものころは学校で落ちこぼれだったが、天才的な一面があり、大きな仕事を成しとげる、などの逸話が語られる人々」である。[*6] キャロルの類稀な物語る力はまさにこの「デコボコ」の才能から生み出されていたのではないだろうか。

一般的に〝成熟〟といえば、精神的にも経済的にも自立する人間のことを指すが、キャロルにとっての成熟とはケア精神を備えた、あるいは権威を振りかざさない人間のことを意味する。すなわち『不思議の国のアリス』が成し遂げた一つの大きな成果は、〝成熟〟という言葉を脱構築したことにある。物語の最後では、アリスが落ちたと思っていた穴も、その先で遭遇した不思議な生き物たちもすべて夢だったことが明かされる。たとえそれらが夢であったとしても、キャロルが描きだしたアリスの夢には、現実社会への痛烈な風刺がある。たとえば、ネズミや公爵夫人、あるいはハートのクィーンに共通するのは、「大人の世界」の権力構造が定める〝正しさ〟や規範といった画一化された価値観であり、尊大な態度や他人を見下ろすような態度である。これらの登場人物が体現するのは、そのような価値に疑問が呈されているのだ。発達心理学者のローレンス・コールバーグが提唱した「正義の倫理」は、客観的な不公正を是正することができるかどうか、あるいは人と人が競合するとき、諸権利の優先順位を決めることができるかどうかが基準であった。

もちろん、「正義」や「公正」とは何かを追求するのは重要だが、それがハートのクィーンのように権力を用いて自分の「正しさ」を他人に押し付けるまでに私物化されると、もはや弊害にしかならない。

主人公のアリスは、このような尊大な態度に拒否反応を示しつつ、テクスト中に蠢いている多種多様な生き物の発する複数の声に耳を傾けている——たとえ、その声が理解不能な言葉を発していたとしても。『不思議の国のアリス』は、子どもが蓄えている豊かな想像力とそれが生み出す驚異の世界を再評価した画期的な作品なのだ。空想の世界を信じる大人を精神異常者として捉えていた一九世紀に、大人であるキャロルがこのような荒唐無稽な物語世界を描くことは精神医学の通説に反旗を翻すことでもあっただろう。

「ケアの論理」とは、一九八〇年代にキャロル・ギリガンが「正義の論理」の対抗原理として提唱した倫理である。他方で、「ケアの論理」は「正義の論理」を頭ごなしに否定しているのでもないことも指摘しておくべきだろう。ギリガンは、正義の倫理観に優れている人の方がそうでない人よりも〝成熟〟しているというコールバーグの議論を否定している。彼女は、正義が何かを決定する能力よりも、他人のニーズにどう応答すべきかを問う態度を持つ、関係性に根ざした自己こそ〝成熟〟していると考えた。ルイス・キャロルもまた、それまでの通説として受け入れられていた倫理観にメスを入れた。「ケアの論理」と「正義の論理」では、キャロルが描く『不思議の国のアリス』の世界はどちらかといえば「ケアの倫理」を志向している。本章では、ケアラーとしてのアリスにも注目しながら、なぜキャロルが「オンナ・コドモ」の世界を描いたのかを考えてみたい。

2. なぜ「オンナ・コドモ」の世界を描いたか――コーカス競走とは？

メディア学の林香里は、著書『〈オンナ・コドモ〉のジャーナリズム　ケアの倫理とともに』のなかで、「オンナ・コドモ」と「オトコ」というカギ括弧付きのカタカナの言葉を提示し、ケアと結び付けられる前者の「オンナ・コドモ」の領域が常に社会の周縁におかれ、その価値が長いこと貶められてきたことの意味を問うている。[*7] 注意しなければならないのは、この「オンナ・コドモ」と「オトコ」の領域は決して生物学的な男女の性別や、身体的成長段階としての大人と子どもの別を表しているのではないということだ。

たとえば、「オトコ」の世界は、「西欧型自由主義が達成した諸価値を擁護すると同時に、その発展の主体となった特殊なグループを権威化」し、「それ以外の社会の領域との線引き」がなされている（『〈オンナ・コドモ〉のジャーナリズム』、一六頁）。また、大臣から国会議員、大企業の役員をはじめ、この「オトコの場」には、女性がかなり多く存在している（同、四～五頁）。反対に「オンナ・コドモ」の領域には、子どもだけでなく、他人による世話（ケア）を必要とする人たち――お年寄りや病気で身体が不自由な人々――も入る（同、五頁）。ルイス・キャロルはいずれの領域に属するだろうか。「神経症」や「自閉スペクトラム症」であると考えられてきたキャロルは、「オトコ」社会ではなく、「オンナ・コドモ」の世界に属している、あるいは属し続けることを望んだ。

『不思議の国のアリス』の「オンナ・コドモ」の志向性は、ドードー鳥が提案するコーカス競走に象徴的に表れている。「オンナ・コドモ」の領域におけるケアは、「競争」の一つの戦略に喩えられている。岡野八代が『ケアするのは誰か？　新しい民主主義のかたちへ』所収の論考で紹介しているナンシー・フォルブルの寓話では、ゴールが明確ではない競技で「集団で最も遠くへと走る」ために、どのような戦略を立てるかという問いが立てられる。「むかしむかし、何人かのとても力のある女神たちが、世界中の国々のあいだで、一種のオリンピックのような競技を開催することに決めました[*8]」。このように始まる寓話では、A国は「走れる者だけが走る」という戦略を取ったが、いつまで走るのかが読めない競争では次第に落ちこぼれるものが出てくる。B国はまるで日本社会を映し出すような性別分業の戦略を取る。子どもたちや、病人、高齢者などの弱者をケアするために、「あらゆる女性たちを併走させ」、男性はその分距離を稼ぐアプローチである（同、一二九頁）。他方、C国はできるだけ速く走る努力をしつつも、全構成員がケアの負担も担うことを選ぶ（同、一三〇頁）。C国は、脱落者を最小限に留めながら社会全体を維持することができる未来を示唆している。

キャロルが描く不思議の国では、これらのような戦略とは無縁のおかしな競争が繰り広げられる。涙の池を泳いで岸にたどり着いたアリスと「奇妙な一団」――ネズミ、あひる、ドードー鳥、仔鷺（イーグレット）らの体が濡れているため、どうすれば早く乾くかという議論が始まる（『不思議の国のアリス』『詳注アリス　完全決定版』、一〇〇頁）。最終的にドードー鳥の提案で「コーカス競走」が開始される。ゴールが明確ではない競技でみんなが走るという点では同じであるが、コーカス競走は、勝者がいることを想定しているフォルブルの寓話とは根本的に違う。ただ、もっとも勝ち負けに固執しない「C国」の方法論には通じるだろう。ドードー鳥が発案した競技は驚くほどいい加減である。「競争」という概念自体をなくしている。

キャロルの世界は現実離れはしているが、明らかに現実社会の寓話になっている。コーカス競走は、「まずレースコースを円みたいに描く」、それから「全員がコース沿いにあっちやこっちに立つ」。その後に、各々が「好きな時に走り始め、好きな時にやめてよいから、いつ競走が終わるのかはよくわからない」競技である（同、一〇四頁）。この競争の特徴は、勝者がいない、あるいは「皆が勝った、だからだれもに賞品」が与えられるべきというおかしなルールである。『詳注アリス　完全決定版』の編者であるマーティン・ガードナーによれば、「ドードー」にはキャロルの自己戯画の意図がある。なぜなら、「キャロルの吃音のため、彼は自分の名を口にすると、「ドードードジソン」とどもったとされる」

からだ（同、九七頁）。もしキャロルが、このでたらめな「競争」を思いついたドードー鳥と自分自身とを重ねていたのであれば、彼はこの「コーカス競走」をこの時期に急速に広がり始めていた競争原理の痛烈な風刺として描いているといえる。

「競争」の寓話には、ダーウィニズムの生存競争、あるいは強者が生き残る風潮を揶揄する目論みもあっただろう。キャロルの物語には「グリフォン」のような、上半身は鷲で下半身がライオンという伝説上の生物が登場していることもあり、ドードーも架空の鳥と思われがちだが、じつはモーリシャスに生息していたかつて実在した鳥である。一七世紀に絶滅してしまっていた（生存競争に勝ち残れなかった）ドードーをキャロルがわざわざ登場させ、競合しない「競争」を描いているのだから、これほど皮肉なことはない。*9

アリス・リドゥルやその姉妹たちとの交流はキャロルにとって大人の世界からの逃避でもあったが、それだけではない。そのことは、キャロルの同時代作家と比較してみても分かるだろう。キャロルと同じように子どもを主人公にして小説を書いていたチャールズ・ディケンズは、彼自身が少年時代、わずか十二歳のときに家族の経済状況が悪化したために子どもながらに「オトコ」社会で働いたことがあった。彼には、靴墨工場での辛い経験があり、代表作『デイヴィッド・コパフィールド』の中で主人公に同じ経験をさせている。ディケンズは大人社会の厳しさを乗り越えるためには〝成長〟が欠かせないことを教訓的に描き、「オトコ」社会の厳しさを描いている。他方、キャロルは、『不思議の国のアリス』でオトコ社会の権威が解体された「オンナ・コドモ」の世界のありようを肯定的に描いている。

3. ユーモア、「遊び」、カーニヴァル文化

キャロルは、コヴニーが言うように、「大人の現実世界」を忌避していたかもしれないが、アリス・リドゥルたちと「子どもの想像世界」を探求することで、新たな社会のヴィジョンを描こうとしていたのではないだろうか。それは彼の「カーニヴァル」的なものへの志向と呼べるだろう。キャロルは、権威的なものを批判し、自分と他者のコミュニケーションがときにちぐはぐで、第三者の目にはノンセンスにしか映らないようなやりとりを描いた。このことは、一九世紀社会の道徳に対して厳格すぎる態度と無関係ではないだろう。[*10] アロン・ホワイトによれば、一九世紀は「カーニヴァル文化が拒絶されるとともに、このカーニヴァルという概念が他者の文化として再構築されていく」時代である。[*11]

カーニヴァルとは、本来、さまざまな国や地域で行われる固有の祭りであり、国家的な公式な祭典ではなく、民衆が自発的に行う祝祭のことである。まさにそのイメージどおり、ミハイル・バフチンが考えていたカーニヴァルも「全民衆的な世界感覚」であり、[*12] 公的な権威が一切取り払われて、人々の身分がなくなり、性別、年齢、貧富の差などを越え

て互いに関わりあい、葛藤するような場である。そこには、貧しいものが富んだものよりも優勢になったり、権力のないものが権力のあるものより上位にきたり、と転倒のイメージもある。すなわち、この文化は社会的ヒエラルキーではなく、むしろ滑稽さやユーモアによって自他の立場を乗り越え、自己とは何かについて思考することを促す。

英国国教会執事に任命されたルイス・キャロルであれば（ただし、司祭にはなっていない）、デュオニソス的なカーニヴァル的文化に抵抗を覚えていたのではないかと想像するかもしれないが、興味深いことに、キャロルを含め、文学史においてユーモアを駆使した四大作家――フランソワ・ラブレー、ジョナサン・スウィフト、ローレンス・スターンはみな教会の執事（ラブレーは、フランチェスコ会の厳修会派に属するピュイ＝サン＝マルタン修道院に在籍）であった。このことは信仰（faith）と愚かしさ（folly）、祈り（pray）と遊び（play）の重要な結びつきを表している。[*13]

冒頭場面でアリスの身体が肥大化するが、これは同時に、象徴的に精神の豊かさとしても解釈され、バフチン的なカーニヴァルのイメージとも共鳴する。そもそも、フロイト以前の一九世紀精神医学では、現実離れした空想の世界を信じ込むことは成熟した大人にとっては「狂気」（insanity）であると考えられていた。たとえば、ヘンリー・ホランド（Henry Holland, 1788-1873）は、「狂気」を「非現実的なイメージと実際に外界からの刺激によって引き出される知覚の区別が部分的にあるいは完全に失われること」であると説明した。[14] しかし、精神医学の専門家のなかには、子どもは「感覚を省察的に捉え、修正することができない」ため、それは「正常」の精神状態であると考えられていた。[15]

キャロルはもちろん成人であったが、この子どもの「夢のような」(dream-like) 精神状態はむしろ健全であると考えていた。『不思議の国のアリス』は、言ってみれば、当時の精神医学の常識に抵抗する態度を明確に示しているのだ。夢のような精神状態には、道徳規範で縛られるヴィクトリア時代の社会で抑圧されていた想像世界が許されていた。もちろん、「不思議の国」を生み出すような「驚異」(wonder) の資質を奨励する医師たちが全くいなかったわけではないが、ヴィクトリア時代では、あくまで少数派であった。[16]

キャロル自身、一八七二年に伯父に宛てた手紙の中で、「たとえば、ワーズワスの作品は道徳的（教訓的）な結末があるが、私はそれに追随しない」と書いている。[17] 彼は、子どもに許されるこの不思議な空想の世界を、画一的な道徳規範に縛られがちな大人にもできれば届けたいと考えたのではないだろうか。まさにギリガンが唱えた「ケアの倫理」や林が推進する「オルターナティヴ・メディア」にも通じる態度である。林は「生命の尊厳」に関わる問題として「絶対的弱者」について論じながら（『〈オンナ・コドモ〉のジャーナリズム』、四四頁）、現代の「記者たちは顕在化していない「ケア（世話）」されるべきニーズを、当事者たちとの対話を通していかにうまく発見し、支え、公開していくか」が重要であると指摘する（同、五八頁）。

ディケンズの児童労働をテーマにした小説にも典型的に示されているとおり、ヴィクトリア時代における「絶対的弱者」の一カテゴリーは「子ども」であった。キャロルは絶対的弱者の当事者である少女たちとの対話を通して、あるいは当時刊行されていた雑誌で報道されていた児童労働の記事[*18]などを読んで、アリスの物語を紡いでいったのではないかと考えられている。その点で、今日における「ケアのジャーナリズム」にも似ている。ケアのアプローチは、林が言うように、絶対的弱者の諸問題——暴力、貧困、病、障害——に関わるため「ニュース性に乏しく、地味でもある」(同、四四頁)。また、「取材で親密圏に立ち入るとき、権力に対して行なう追及型とは異なった、静かに相手の話に耳を傾けるセンシティヴな取材技法」(同、五三頁)が求められるのだという。キャロルが少女たちからヒアリングして物語にしたこの作品の挿画も、彼の傾聴の姿勢を映し出している。ジョン・テニエルの挿画は広間で大きくなってしまったアリスの様子を描いているが、リディア・マードックによれば、この「閉じ込められた、孤立した」イメージは当時、炭坑で働かされていた児童たちの絵と驚くべき近接性がある。[*19]

また、キャロルは少女たちに性規範を押し付けるようなヴィクトリア時代の「道徳」に対して抵抗があった。『不思議の国のアリス』では、少女は道徳に従うことよりも、「知的鍛錬」を積むことが重要であることが示されている。それが典型的に表れているのはイモムシの「おまえ、だれ?」という問いかけである。この質問に対して、現実世界を離れて

(上) 炭坑で働く子ども Album / British Library / Alamy Stock Photo
(下) 広間で大きくなったアリス Matthew Corrigan / Alamy Stock Photo

身体が膨張と収縮を繰り返した後のアリスは困惑する。「自分にもよくわからないんです、今のところ――少なくとも今朝起きた時、私がだれだったかはわかるんですけど、それから何度も変わっちゃったもんだから」とアリスが答えると、イモムシは「どういうことなのかい」と「きつい口調で」尋ねる。「自分にならはっきりわかっとんじゃないのかい」とさらに詰問されると、アリスは「だって私、自分じゃないんだから」と「自分」が変化した後も「自分」でい続けるのかどうかという哲学的な思考を深めている（「不思議の国のアリス」『詳注アリス　完全決定版』、一三八頁）。このような問いへの答えがひとつではないことと、アリスに好奇心、想像力、内省を促す知的な鍛錬とは繫がっている。

ケアラーとしてのアリスが描かれるのは、公爵夫人の家を訪れたときに彼女が「赤子」をあやす場面であろう。公爵夫人が歌いながら赤子を「激しく投げあげる」のに注視していると、突然赤子がアリスの方に投げられるのだが、アリスはどう扱えばよいか分からず、それでも「この子ここにおいておいたら」「あの人たち、一日か二日で必ず死なせてしまう」と心配している（同、一六七、一六九頁）。ここでもカーニヴァル的な展開が起き、赤子が「どこからどう見ても豚」にしか見えない生き物に変身してしまうが（同、一七一頁）、脆弱な存在を放置できない責任感を備えているケアラーとしてのアリスが描かれている。

また、キャロルのカーニヴァル的なものへの執着はおそらくアリスとハートのクィーンの対決に見られるだろう。キャロルは、リドゥル姉妹と交流するなかで彼女らの両親が子どもを厳しく管理していると感じてもいた。[*20] 権力を持つクィーンこそ、ヴィクトリア時代の大人の権威、社会のヒエラルキーを象徴する存在であり、キャロルがもっとも忌避した対象でもあるだろう。ハートのクィーンは生物学的な男性ではないが、「オトコ」社会における権力構造の負の象徴である。ハートのジャックが女王のタルトを盗んだという疑いをかけられ、起訴されて裁判になってしまうのだ。帽子屋と公爵夫人の料理人が証人として立ち、キングとクィーンの尋問に答えているが、そうこうしているうちにアリスの身体はまた「成長」し始めてしまう（同、二六九頁）。なぜだか三人目の証人としてアリスの名前が読み上げられると（同、二七五頁）、彼女は驚いてとびあがってしまう。今度はキングに何か知っているか尋ねられるが、アリスは「いえ、何も」と答えている。

裁判が進むにつれ、ユーモアと言葉遊びがエスカレートしていく。クィーンとキングがジャックを追い込んでいく傍若無人なさまは、読者に〝権威〟への不信感を抱かせるが、同時に、キャロルのお馴染みのノンセンスにも笑わされてしまう。「かわいそうな〈とかげの〉ビル、指一本でスレートに字を書こうとして何も書くことがないでいたところ」、クィーンが怒って投げつけたインク壺が当たり、顔にたれてきたそのインクで書けるようになる（同、二八九頁）。このような破茶滅茶な裁判にこそ、カーニヴァル的なるものが描かれている。明らかに有罪の証拠がないにもかかわらず、クィーンは「まず死刑宣告——

答申なんかそのあと」と筋の通らないことをいうため、アリスはとうとう「ばかもいい加減になさい！」と叫ぶ。権威を持たない少女が驚くべき勇気でクィーンに対して発する言葉は、日頃、理不尽にもがんじがらめにされている子どもの読者がいたとしたら、心底共感できるだろう。クィーンは続けて「黙らっしゃい！」と「顔を真っ赤にして」言うが、アリスは「黙るわけ、ないっ！」と負けていない（同、二八九頁）。最後にはトランプがアリスにふりかかってきたところで、アリスは夢から覚める。次の瞬間、アリスは、自分が姉の膝を枕にして土手の上に寝ていることに気がつく。

『不思議の国のアリス』の結末では、目を覚ましたアリスが夢で見たすべてを姉に語っている。そしてまるでアリスが遭遇した不思議な世界と生き物たちの想像力が姉にも伝染したかのように、姉も同じように夢見るのだ。

おしまいに姉さまはかわいい妹が大人の女の人になっている未来の姿を思い浮かべました。いかに妹が年闌（とした）けても少女時代の単純で素朴な心を失わないでいるか、いかにまわりにちいさな子らを集め、たくさんの奇妙な話で、そしておそらくは昔夢で見たふしぎの国の話をさえして、子らの目を熱心にきらきらと輝かせているか、いかに子らの悲しみに共感し、子らの単純な楽しみを自らの喜びとしながら、自らの子供時代、あの浄福の夏の日々のことを思い出すのだろうか、と考えてみるのでありまし

た。（同、二九四～二九五頁）

最後はこのようにしめ括られている。この小説の示すところは、おそらく夢のなかのアリスが体現するケアの視点を実在するアリス・リドゥルやヴィクトリア時代の少女たちが大人になっても持ち続けるというヴィジョンなのであろう。もちろんヴィクトリア時代には慈善事業が盛んに行われ、上流階級の人々が下層階級の家を訪ね施しをするといった形で「ケア」は提供されていた。しかし、産業が飛躍的に拡大し、いわゆる競争原理が社会のメインストリームになるにつれ、互いに助け合うというケアの精神は社会的に評価されなくなっていった。そんな風潮のなか、キャロルがアリスの冒険物語を通じて伝えたかったのは、その精神を根絶やしにすべきでないというメッセージだったのではないだろうか。現代の新自由主義的な風潮のなかで、キャロルのこのような想いに触れながら『不思議の国のアリス』を読むと、心が洗われるようである。

12章　格差社会における「利他」を考える

——チャールズ・ディケンズの『ニコラス・ニクルビー』

1. 〝自助〟と「こども家庭庁」

チャールズ・ディケンズの『デイヴィッド・コパフィールド』(*David Copperfield*, 1850) は、サミュエル・スマイルズ『自助論』(*Self-Help; with Illustrations of Character and Conduct*, 1859) に先んじてまさに「忍耐」(perseverance) を体現するような物語であるという批評があるほど[*1]、ディケンズ作品は主人公が孤独に耐え抜くという一九世紀の自助思想の文脈で理解されてきた。『デイヴィッド・コパフィールド』では、残酷な現実世界に対して子どもがいかに無力であるか、生き残るにも強運と凄まじい努力がいかに必要であるかが、主人公がたどる人生の軌跡によって示されている。主人公デイヴィッドは、生まれたときすでに父が他界しており、幼くして母も病で喪う。残った家族は義父とその姉で、彼らから酷い暴力を受け、さらには学校をやめさせられてしまい、酒屋に小僧に出されるという逆境にも耐え抜かねばならない。その後、なんとか自力でドーヴァーまで赴き大伯母に保護されて、ようやく学校に通えるようになる。しかし一難去ってまた一難で、デイヴィッドは大伯母の破産やユライア・ヒープという人物の奸計によりさまざまな困難に直面する。なんとか速記を習得し報道記者として自立し、最終的には想い人であったアグネスと結ばれ、作家としても成功する。まさにディケンズ自身の自助によるサクセス・ストーリーが脚色されたような物語である。

〝自助〟の思想は現代の新自由主義的な日本社会においても広く浸透している。今の「主体性を重んじる思想」はとにかく「自己」に責任を帰するのだが、忘れがちなのは、学力、資金、人脈などに恵まれた環境で育つ人たちもいれば、そもそも能力を伸ばしたり人脈を広げたりする資源に乏しい環境で育つ人たちもいることだ。このように階級格差の問題が能力主義（メリトクラシー）に影響することを認識しなければ、家庭や地域の自助や共助はもはや機能せず、現実には公助に頼るほかない状況に苦しむ人たちが大勢いることを見過ごしてしまうだろう。二〇二〇年九月十六日の就任記者会見で菅義偉首相（当時）が述べた内容は、まさに「自己」に責任を負わせようとする自助思想そのものである。

私が目指す社会像、それは、自助・共助・公助、そして絆であります。まずは自分でやってみる。そして家族、地域でお互いに助け合う。その上で政府がセーフティーネットでお守りをする。[*2]

じつは、このような考え方は自明のことではない。社会保障論・福祉政策論を専門とする里見賢治によれば、戦後の日本社会には（とくに一九八〇年代以降）、「所得等の選別的な要件をなくし、ニーズの有無を要件とする普遍的な制度への脱皮を図」ろうとする動きがあった。そして、「自助の補完としての社会保障」は、次第に「自助の前提条件としての社会保障」に進化しつつあることが明らかになった。しかし、「社会保障を自助の補完に留めたい新自由主義の志向」により、残念ながら、日本における児童・障害者・老人・母子福祉などの社会福祉は、今なお「選別的・救貧的様相を色濃く残している」。[*3]

現政権にも、「自助」が優先されるべきという基本方針は受け継がれているのだろう。二〇二一年の二月二十五日に政府が閣議決定した「こども家庭庁」を設置する法案は、そのような路線を継続しており、さまざまな問題を孕んでいる。教育学、福祉社会学を専門とする桜井智恵子は、政府が「こどもまんなか社会」の名の下に、「政策が当事者の主体性や参加を強調することによって、資源を持たない人々の自己責任化を強化するという『当事者主体の罠』もある」と注意喚起している。[*4]社会で子どもが当然持って然るべき「権利」が、個人の「支援」に置き換えられ、子どもの虐待や貧困などの問題が「個人化」されてしまう可能性については、もっと危機感を募らせる必要があるだろう。桜井は、「存在の自由が保障されるのは何よりも重要である」と留保しながらも、政府がケアの責任を「利用者や現場」に押し付け、「リスクを回避」しようとしているのではないかと懸念を表明している。もちろん、スマイルズの自助思想のすべてを否定する訳ではないが、このような現政権のネオリベラル的な傾向はまさにスマイルズが提唱した自助努力を求めすぎる傾向を彷彿とさせる。「主体性」を重んじることで「個別救済」への注目が高まり、根本的な社会の構造を問う「制度改善」にほとんど関心が向かないことが問題ではないだろうか（「こども家庭庁の「こどもまんなか」政治　ネオリベラルな「ウェルビーイング」」、六三、六七頁）。

一九八九年に成立した子どもの権利条約をきっかけに注目されたキーワードに「意見表明」「自己決定」がある。もちろん、「それまで声を聞かれなかった子どもが気持ちを聞かれるようになり、存在の自由が保障される」までになったことは重要である。しかし他方で、「資本主義社会とその上につくられた家族体制における子育ての枠組み」という近代の問題を、二一世紀の社会がいまなお抱え続けているともいえる。今の政府の「こども家庭庁」の基本方針を牽制する桜井の鋭い批判は、自助思想の「主体性」が資本主義の枠組みに利用されることを批判した一九世紀のイギリス小説を思い出させる。ディケンズ作品の主人公が自助思想を体現するというのは確かに間違いではないが、じつは『大いなる遺産』（*Great Expectations*, 1861）においては、貧困や孤独などの社会問題が個人化される自助思想に疑義を呈する語りがある。また、シャーロット・ブロンテの『ジェイン・エア』も、今の新自由主義社会にも通じる息苦しさを剔抉して描いていると読めないだろうか。今の日本の政治は、「子ども中心主義」の名の下に、能力主義的な発想、あるいは「資源を持たない人々の自己責任化を強化する」方向性を持つがゆえに、政治家たちが家庭にケアを押しつけようとしていないか、改めて考える必要があるだろう。本章では、ディケンズの作品を振り返ることで、自助思想が社会に及ぼす弊害について考えてみたい。

2．ディケンズのアンチ自助論とケア

まずは、『大いなる遺産』がどのようにアンチ自助論的な物語になっているか見ておこう。小さな鍛冶場の見習いから出発し、匿名の人物からの遺産によってロンドンの紳士階級に華麗な転身をとげた主人公ピップの物語は、じつは彼が手に入れる社会的な成功で終わっていない。大人になったピップの視点から、たびたび自分の行動を振り返る言葉が語られている。二七章には、ピップが財産を得たあと、義兄で鍛冶場の師匠であったジョーが訪問してくる場面が描かれるが、ピップは思わずジョーにつれなく接してしまい悔恨の念を抱いている。また、病に倒れて動けない自分を介抱してくれたジョーの寛大さと素朴な人間性に心動かされるピップを描いた五七章は、ともに助け合う共助の精神を言祝いでいる。

自助(セルフヘルプ)的な『デイヴィッド・コパフィールド』も先入観を取り外して読んでいくと、デイヴィッドと貧しいミコーバーが互いに助け合う友情関係が肯定的に描かれていることに気づく。それ以前にディケンズが書いた小説にも、資本主義社会がいかに子どもたちの人権を収奪し、非人間的な扱いをしていたかが共感の語りによって綴られている。たとえば、『ニコラス・ニクルビー』(*The Life and Adventures of Nicholas Nickleby*, 1838-1839)の第七章と第八章には、格差社会のしわ寄せを受け、寄宿学校に入れられる孤児や貧困層の子どもたちの苦難が生々しく描かれている。このような下層ミドルクラスの子弟のための私立の寄宿学校は一八二〇年代以降急速に増え始めたが、劣悪な教育環境として知られる学校もあり、しばしば問題になった。[*5] 今では、およそ九〇%のイギリスの学校は制服を採用しているが、その伝統の起源はこのような私立学校(寄宿学校)にあった。[*6] 父親を亡くしたニコラスは妹のケイトと母とともに伯父ラルフ・ニクルビーを頼ってロンドンにやってくるのだが、伯父が紹介する職というのが、この厳しい寄宿学校の教師であった。

ニコラスは、生徒を徹底的に虐げる校長のワックスフォード・スクィアーズと彼の妻による残酷さを目(ま)の当りにする度に、子どもたちがなぜそのような扱いを受けなければならないのかという義憤とともに、彼らへの共感で心動かされる。ディケンズ自身、少年期にウェリントン・ハウス・アカデミーという学校で同級生たちが繰り返し体罰を受ける様子を目にしていた。[*7] このような文脈においては、子どもたちの「忍耐」や「自助」はかえって否定的な意味を帯びる。シャーロット・ブロンテの『ジェイン・エア』にも、子どもの権利が収奪されるローウッド寄宿学校が描かれている。近代社会において、とりわけイギリスの産業革命以降は、「主体性」や「忍耐」は起業精神（entrepreneurship）とも結びついて社会を物質的に豊かにする人間の肯定的な性質として捉えられてきたが、ディケンズやブロンテの作品では、これらはむしろ権力側の理不尽な暴力として描かれる。

ニコラスが雇用される寄宿学校で目にした情景は「獄舎」と呼ばれるにふさわしいありさまであった。*8 スクィアーズ校長は、ボールダーという生徒の手にできものがあるというだけで、「これは一体何のまねだね、君？」と言いながら、「鞭をピシリとくれて」やった。その後、スクィアーズはボールダーを自分の腕が「くたびれ果てる」まで鞭打ちしたのだった（『ニコラス・ニクルビー』、一二六〜一二七頁）。また、『ジェイン・エア』では、ローウッド寄宿学校の経営者のブロックルハーストがジュリア・セヴァーンという「赤い髪」で「巻毛」の生徒に目をつけ、「どうしてあの子は巻毛にしているんです。どうしてこの学校の規則をすべて破ってあの女の子は世間なみに、このキリスト教による慈善施設の学校で髪を巻毛にしているんですか」とその場にいた校長のテンプル先生に尋ねている。驚くべきは、その巻毛が「自然なんです」というテンプル先生の説明を無視して、「自然に任せるわけにはゆかないので、私は生徒たちが神の子であることを望む」と言いながら、「あの子の髪はぜんぶ切らなければなりません。明日、床屋をよこします」という決定を下したことだ。[*9]

二一世紀の日本に生きる多くの人々にとってディケンズやブロンテの小説世界は、現実にはありえない物語であるように思うだろう。しかし一九世紀小説はそれほど遠い世界のものではないかもしれない。本田由紀の『「日本」ってどんな国？』に示されている国際比較データによって浮かび上がる「日本」は、ディケンズ的な異様さを帯びている。たとえば、異常に厳しい学校のルールは日本の特徴でもある。筆者は高校の一年間と大学の学部時代をイギリスで過ごし、服装に日本ほど厳しい規制がなかったこともあり、日本の高校の制服文化や外見の画一化へのこだわりに未だに強い違和感を持っている。本田によれば、政府が「学校」に対して支出する予算をできるだけ抑制しようとして、一学級に多くの生徒を詰め込んできたことで弊害が生じた。それが、「ルールで児童生徒をしばる」教員の行為である。指導する児童生徒が多くなり、かつ政府や、各自治体で学校を監視している教育委員会や、保護者などの視線が厳しくなっていることも関係しているが、「多忙な教員は、教科指導だけでなく生活指導の面でも、様々なルールで児童生徒をしばる行為に走りがち」である。[*10]これは「理不尽なほどの細かい校則」により、髪型や制服・持ち物を制限し、学校外の生活をも管理しようとすることにまで及ぶ。また、教員が児童生徒の声に耳を傾ける余裕を失っているという問題も複雑に絡んでいるとの指摘も重要であろう。

3.『ニコラス・ニクルビー』における「利他」を考える

ディケンズの小説世界では、「他者」の声に耳を傾ける行為と対照的に、「他者」の声を聴かない誤った「利他」がリアルに描かれている。「自己」が「他者」に遭遇するとき、どうしても「「予測できる」という前提で相手と関わってしまいがち」である。

伊藤亜紗は、利他的な行動をとるときほど「思い」が「支配」になりやすいと言うが、[*11] まさにこのような誤った「利他」はスクィアーズ夫人の「薬めいたものをやってお」く態度に如実に表れている（『ニコラス・ニクルビー』、一一八頁）。スクィアーズ夫人は、硫黄と糖蜜を混ぜたものを少年たちの「口という口をおっ広げずにはおかぬ、ごくありふれた木べら」を使って飲ませていく。彼らは「背けば厳重な体罰が待っているとあって、一匙分、一気に飲み下さねばならなかった」（同、一二二頁）。このようなほとんど「拷問」(torture)[*12] に近い行為をスクィアーズ夫人は利他的な行為であると考えている節がある。彼女は、「ええ、生徒に硫黄と糖蜜を与えるのは一つには、ともかく何か薬めいたものをやっておかないと、あの子達ってのはすぐに病気にかかって散々手を焼かすからですし、また一つには、おかげで食欲なんかどこかへふっ飛んでしまって、朝ご飯や晩ご飯のお代が浮くからですよ」と嘯（うそぶ）いているように、彼女の「利他」は表面ばかりで、その実「利己」的であることが明らかになる（同、一一八頁）。

伊藤が「よき利他」と呼ぶ行為には、「知ったつもりにならないこと」が含まれている。なぜなら「ケアが他者への気づかいであるかぎり、そこは必ず、（中略）大小さまざまなよき計画外の出来事へと開かれている」からである。すなわち、よき利他には「他者の発見」がある（『「利他」とは何か』、五五頁）。スクィアーズ夫人の態度にはこのような「他者の発見」はまるでない。一方、『ニコラス・ニクルビー』でよき利他を実践しているのが、ニコラスである。彼は、助手（講師）として雇われているため、スクィアーズ夫妻の酷い仕打ちに「心底嫌悪と憤りを感じずにはいられない」ものの、このままではそのような「体制のお先棒を担いでいるようなもの」だと思い起こし、「ほとほと嫌気が差し」ている（『ニコラス・ニクルビー』、一二九頁）。ちょうどその思索に耽っていると、スマイクという少年に出くわす。この少年は、ニコラスにとっての「他者」である。彼は少年の声に耳を傾ける。

少年は暖炉の前に跪き、炉床からこぼれた燃え殻を二つ三つつまんでは、火の上にこづんでいた。その手を止めてニコラスをこっそり見やり、自分が見つめられているのに気づくと、ぶん殴られるとでも思ったか、すくみ上がった。

「僕だったら恐がらなくていいんだよ」とニコラスは優しく言った。「寒いのかい？」

「い、いいえ」

「でも震えてるじゃないか」

「寒かありません」とスマイクは慌てて答えた。「なれてますから」

彼は如何にも何か気に障るようなことをしでかしてはと怯えているようだったし、それは臆病でいじけた奴だったので、ニコラスは思わず「かわいそうに！」と声を上げた。（同、一三〇頁）

ニコラスはスマイクの反応を敏感に感じ取っているが、あまりに怯えているので「思わず」声をかけている。そこには「知ったつもり」も「予測」の態度もない。その後、少年はわっと泣き出し、ニコラスに「これまで何てつらかったことか！」という素直な気持ちを吐露し、かつて寄宿学校にいた、亡くなった友達について語り始めた。ニコラスが「その子がどうしたっていうんだい？」と優しく訊いたので、スマイクは、その友達がどういう風に死んでいったか、自分が「死ぬ番になったら」誰が自分を見守ってくれるだろうかという不安を打ち明けている（同、一三一頁）。

父親が亡くなるまで紳士の息子として教育を受けていたニコラスにしてみれば、貧しい家庭の子どもたちが預けられている寄宿学校で目にするすべて、とりわけその教育環境の劣悪さやスクィアーズ夫妻の残酷さは、信じがたいものだった。

彼は生徒がみな何と口数が少なく、悲しげであることか目を留めずにはいられなかった。教室ならではの物音やざわめきなど、やんちゃな悪戯や賑やかな笑い声など、まるでなかった。子供達は一緒にうずくまって、震えながら座ったまま、動き回る元気さえないかのようだった。（同、一二三頁）

このように生徒たちが常に「うずくまって、震えながら」、子どもらしく動き回る元気もないのは、スクィアーズ夫妻の恐怖政治に怯えて生きているからだ。しかも二人の生徒たちの扱いは彼らが親から得る金銭に左右されている。先述したボールダーがスクィアーズに酷い体罰を受けるのも、彼の父親が「二ポンド十シリングほど借りを作」ったという利己的な理由からだった（同、一二六頁）。

格差社会によって家庭環境や学校環境に宿命づけられてしまう貧困層の子どもたちのなかでも、その逆境から抜け出すことに成功する者はいる。『ニコラス・ニクルビー』の主人公も、父親と死別したことによってさまざまな苦難に直面するが、最終的に彼の人となりや勤勉さが認められて幸せな結末を迎えている。しかし、それはあくまで稀なケースであることも強調されている。ニコラスが雇われた寄宿学校には、「蒼ざめやつれた顔また顔が、痩せぎすの骨ばった体が、老人の表情を浮かべた子供が、手足に枷を掛けられた畸型が、成長の止まった少年が、長くいじけた脚では猫背の胴体ですら支えかねている坊主が」いた（同、一二〇頁）。スクィアーズによるラテン語の教授法も、生徒たちの労働を搾取できる方法を採用している。たとえば彼が「ウマ」について教えると、その少年に「直ちに外へ出て、わたしの馬の面倒を見て、しっかりブラシを掛けてやるのだ」と命令している（同、一二四頁）。比較的恵まれた環境で教育を受けてきたニコラスが不遇の少年たちに出会うとき、その格差を思い知らされることになる。スクィアーズが提供するのは名ばかりの「教育」であって、実質は生徒たちをケア労働に駆り立てて搾取している。

もちろん、このような教授法が今の日本で行われているはずはない。ただ、格差についてはどうだろうか。本田由紀によれば、日本の高校の特徴として、学校によって合格の難易度や、学校内での勉強の難しさなどが大きく異なる「高校の偏差値輪切り体制」があるという。その説明のために、高校受験によって、入試難易度つまり「学力」だけでなく、生徒の家庭環境によっても高校間の明確な格差が生まれていることを明らかにした藤村正司の分析結果が紹介されているので、ここでも触れておく。ある高校に在学している生徒たちの出身家庭が備えている資源（保護者の学歴や職業、家の蔵書など）をまとめて一つの指標にしたのが「家族資本」で、その学校別平均値を出したものが「学校ＳＥＳ」であるが、この分析では、「学校ＳＥＳ」がどれほど数学得点に影響しているかを見ている。日本はこの数値が他国と比べて「非常に大きい」という結果が出ている。それは「家庭が豊かで恵まれている生徒ばかりがたくさん集まっている高校があり、他方には生活が苦しい家庭の生徒ばかり集まっている高校があり」、「それぞれの学校環境が、個々の生徒の「学力」を左右する」ことを意味する。この数値をフィンランドと比べた場合、その「「異様」なシステム」はより顕著であるという（『「日本」ってどんな国？』、一三二〜一三四頁）。

遍く生徒たちが安心して教育を受けられる社会とはどういうものか。〝自助〟に傾いた社会から〝公助〟に取り組む社会へのシフトを可能にするのは政治だろう。だが、政治家を選ぶのは国民一人一人だ。今は新自由主義の影響で、格差や貧困といった社会問題が個人化され、家族内で（あるいは親戚内で）解決されるべきという圧力が強まってきている。子どもが与えられるべき「権利」が、効率的にもうける資本主義によって「支援」という扱いに変容させられている。本田が「異様」と形容する「高校の偏差値輪切り体制」は、出身家庭が裕福である生徒が多く集まる高校と、生活が困窮している生徒が多く集まる高校との間の格差を広げ、まるでディケンズの小説を彷彿とさせる。日本が変わるためには、多くの「ケアレスマン」すなわち「人や自分のお世話（つまり家事・育児・介護）をしないですんでいる男性」によって「公的」な場がつくられていること（同、六九頁）、そしてその価値が社会を形づくってきたという実態を認識する必要があるだろう。そうすれば、「ケア」がなぜ社会的弱者に特有のものであったのかが理解できるからだ。日本では、働き方の問題もあるだろう。「会社が長時間労働や会社への献身を、働く人にいまなお要請している」ということが、それ以外での場で主に男性を「ケアレスマン」にしてしまい、女性がその欠落を埋めることを期待されている（同、七三〜七四頁）。考えてみれば、『ジェイン・エア』のロチェスターも自分の娘（養女）アデルのケアをミセス・フェアファックスやジェインに任せている。『ニコラス・ニクルビー』のスクィアーズも、家事などのケアを実践することなく、食べる専門である。ケアが私的領域にも公的領域にも浸透するためにはいずれの領域でも「よき利他」が実践されなければならない。

13章　戦争に抗してケアを考える

――スコットの『ウェイヴァリー』とドラマ『アウトランダー』

1. 『アウトランダー』と〝逃げ腰〟ヒーロー

歴史小説の醍醐味とはなんだろうか。やはり時空を超えて語られる普遍的な物語、あるいはその時代に当たり前とされていた価値観に思い悩む人々の語りが読者の胸に迫ることではないだろうか。とりわけその時代が前提とする常識や価値観が現代に生きる私たちとまったく異なる場合、その落差によって私たちのなかに驚きとドラマが生み出される。タイムスリップした感覚に近いのかもしれない。ネットフリックスでは、歴史小説をさらにグッと現代人に近づけてくれるドラマ『アウトランダー』(*Outlander*)が配信されている。一九四〇年代にイギリスの従軍看護師をしていた主人公のクレア・ビーチャム(ランダル)が二百年前の一七四三年のスコットランドにたった一人で転送されてしまい、一七四五年に起きるジャコバイトの反乱に巻き込まれるという壮大な物語で、その反乱の主要人物でもあるチャールズ王子(チャールズ・エドワード・スチュアート)など歴史上実在する人物も登場し、文字通り手に汗握る展開が次々に起こる。[*1] 歴史学者の夫とともにスコットランドのハイランド地方を旅行中だったクレアが、ある大きな岩に触れた瞬間にタイムスリップしてしまうファンタジーのような物語であるが、史実がある程度合致しているなど、視聴者が没入できる工夫がなされている。[*2]

　クレアが経験する世界は、「イングランド」（England）に合併された後の一八世紀スコットランドの社会であり、後者はもはや独立した「国」（nation）ではなくなっていた。スチュアート家の復権のために一七一五年に一度目のジャコバイトの武力蜂起が起きたが失敗に終わり、三十年近くが経っていた。ジャコバイトとは、イングランドのハノーヴァー議会に反旗を翻したスチュアート家の支持者やスコットランドのハイランド氏族のことを指す。赤い軍服に身を包んだイングランドの軍人たちを意味する「レッド・コート」（red coat）は、スコットランド人たちが彼らを恐れ、敵視していた時代の形容の仕方であるが、このドラマでは「レッド・コート」を代表するジャック・ランダルが、イングランドの帝国主義が孕む暴力性の象徴となっている。[*3]

　当時のスコットランドは、政治的にはまだまだ不安定で、イングランド（イギリス）の女性が一人で冒険するには危険に満ちた世界であった。また、ハイランドの人々の言葉や方言を話すこともできないクレアは、どこに行ってもイングランド人であることが即座に露呈してしまい、襲われたり、常に危い目に遭う。[*4] そんななか、彼女はハイランド氏族の一人、ジェイミー・フレーザーと出会い、次第に彼を愛するようになる。ジェイミーと婚姻関係を結ぶことでスコットランドのハイランド氏族の仲間入りをしたクレアは、ときにイングランド人たちの暴力（性暴力を含む）の被害にも遭う。すなわち、二〇世紀に生きる女性がもしジャコバイトの反乱に巻き込まれたら、という現実にはありえない設定をあたかも歴史小説のように展開させていくのが『アウトランダー』の面白さなのである。一八世紀社会の特定の価値観に縛られながらも、恋愛し、結婚し、冒険し、戦争を生き抜きながら、自分らしさを貫くとはどういうことなのか、クレアは私たち視聴者が生きる現代的な世界に近い視点からその葛藤を言語化してくれている。このような女性の描かれ方に、歴史小説の真髄を見る。というのも、筆者の印象では、『アウトランダー』は、ジェイン・オースティン（Jane Austen, 1775-1817）とウォルター・スコット（Walter Scott, 1771-1832）の小説を掛け合わせたようなドラマになっているからだ。

厳密には歴史小説とは呼べないかもしれないが、摂政時代に活躍したジェイン・オースティンの小説には、世襲制階級である紳士たち（準男爵など）、青年将校、牧師などが登場し、当時のコートシップ（結婚前の異性二人が関係を構築するプロセス）が描かれる。もちろんロマンチックな恋愛も描かれるが、この時代の女性たちは、必ずしも自由に結婚相手を選べたわけではない。たとえば『高慢と偏見』のシャーロット・ルーカスがそうだ。コリンズ牧師のとめどない巧言令色や傲慢さには主人公のエリザベス・ベネットもうんざりさせられるのだが、彼女の親友シャーロットは彼との結婚を決意する。その彼女の思いきりの良さにエリザベスのみならず、読者も驚かされる。そして、中流階級の女性が経済的に自立できるような職業が家庭教師を除けばほとんど皆無であった時代、好きでもない男性と結婚しなければ生きていけなかったそのリアルな現実を思い知らされる。そのうえで、大富豪のダーシーのプロポーズを高慢さを理由に拒絶するエリザベスのその性規範を打ち破るヒロイン像の新しさに深い感銘を覚えるのだ。最終的に、ダーシーが脱男性性（マッチョ）化し、人間的な魅力やケア精神を育んでいくことで、その変化がヒロインの心を動かし、結婚という大団円を迎える。

『アウトランダー』のクレアが既婚者であるにもかかわらず、ジャコバイトの戦争を生き延びるためにジェイミーの妻にもなることを決意する「不倫」（＝重婚）の設定は、オースティンの恋愛小説を現代に〝アップデート〟しているようにも読める。ジェイミーがたとえ心優しくても、そしてどれほどクレアが彼を愛していても、ジェイミーは一八世紀の家父長的な価値観を内面化しており、女性への暴力は場合によっては必要であると考えている。たとえば、第一シリーズの第九話では、クレアがジャック・ランダルに捕まって今にもレイプされそうになったところをジェイミーと彼の仲間によって救い出されるのだが、そのことで自発的に謝罪しないクレアにジェイミーがいら立ち、口論になる。「嫌かもしれないが君は俺の妻だ」という威圧的なジェイミーに対して、クレアは自分の気持ちを無視する思いやりのなさに怒りを吐露する。その晩、ジェイミーは、掟として、仲間の命を危険にさらしたクレアは、罰として耳を切られるか「ムチ」を打たれなければならないと告げる。そして、ジェイミーは「ムチで打たれるとより真剣に受け止める」「夫として君を罰する義務がある」と言いながら、ムチで打ち始める。クレアも「野蛮人」「サディスト」と叫んで反撃にでるが、それもジェイミーの力のまえでは役に立たない。しかし、このことがあって二人の間に溝ができてしまう。そんなことがあり、ジェイミー自身、家父長的な考え方に疑問を持ち始める。妻は夫に従うべきであり、「逆らえば罰を受ける」というのが「先祖代々受け継がれてきたやり方」であると認めながらも、クレアとは新しい夫婦の関係を築くことができると考え、ハイランドの古くからある儀式を模して、クレアの前で「俺がまた君に手を上げたらこの聖なる剣に心臓を貫かれるだろう」という誓いを立てている。ダーシーが高慢な態度をとることをやめたように、ジェイミーもまたクレアに対して一切暴力をふるわない決意を固める。[*5]

小説家ウォルター・スコットは、階級の流動化が進む一九世紀初頭に、それより約六十年前に起きたジャコバイトの反乱をめぐる物語『ウェイヴァリー』(*Waverley; or, 'Tis Sixty Years Since*, 1814) を書いた。『アウトランダー』は、スコットのこの小説を下敷きとしているのではないかと思われるほど、「男性性」のテーマが重なっている。『ウェイヴァリー』の舞台となる一八世紀は、ジェイミーのような心優しい男性にとっても時代の要請があってなかなか「男性性」を降りることが難しい時代である。その歴史的文脈を背景に描かれるヒーローは、性規範に同一化できないエドワード・ウェイヴァリーである。この小説では、イングランドの将校としてスコットランドに赴くエドワードの視点から、ジャコバイトの反乱の戦闘場面が何度も描かれてはいる。ただ、戦いにロマンチックな憧れの気持ちを抱いてきたエドワードでも、じっさいに戦場に赴けば、騎士道精神や祖国への忠誠を証明するとはいえ、人の命を奪うことはしない。彼は物語の最後まで、悪く言えば「逃げ腰」で男らしさが欠如した主人公とも言えるが、他方で、スコットランド人ともイングランド人とも剣を交えることを回避するケアの人である。

ナショナリズムや愛国心を前提とする戦争の状況下では、戦争に非協力的な人を想像するのは難しいかもしれない。サッカー観戦に置き換えて考えてみよう。有元健によれば、サッカーの試合では観戦者たちが儀礼的実践——応援歌（チャント）やヤジなど——を通して、複雑な包括と排除のプロセスを経る。そして、「コミュニティへの自己同一化」を行いながら、「私たち」あるいは「わがチーム」といった帰属意識を育んでいく。[*6] そして、この文化にジェンダーの排他的な要素は大きい。〈なでしこジャパン〉をはじめ、女性サッカーの文化は浸透してきてはいるものの、フーリガン文化を考えれば、サッカー競技はまだまだ男性支配的なスポーツである。とりわけイギリスでは、ジェンダー差別的、人種差別的な言葉がヤジに混じっていることが少なくなく、多くの女性が敬遠するのも致し方ない。[*7]「わがチーム」に入るためには、プレーヤーだけでなく、観戦者も「その支配的な文化の諸要素に同化しなければならない」(「サッカーと集合的アイデンティティの構築について」、四〇頁)。

ある支配的な文化に「同化」できない問題を客観的に捉えられれば、クレアやエドワードが感じたであろう〝アウェイ感〟も理解できるのではないだろうか。そもそも「ウェイヴァリー」(Waverley)の〝waver〟には、「揺れる」「どちらにも加担できない」という意味がある。「わがチーム」と「敵のチーム」のあいだで宙吊りになるこの状態は、キャロル・ギリガンの自己と他者の関係性のなかで葛藤する〈ケアの倫理〉にも6章で触れたキーツの「ネガティヴ・ケイパビリティ」にも地続きであるといえよう。本章では、ナショナリズムを切り口に『ウェイヴァリー』のヒーロー像に迫りつつ、戦争とケアについて考えてみたい。

2. 祖国愛とナショナリズム

二〇二二年二月二十四日、ロシア軍によるウクライナ侵攻が始まって以降、本書執筆時点でもウクライナでの戦争が続いている。国際人権団体「ヒューマン・ライツ・ウォッチ」は、ロシア軍は住民を「殺害、拷問や監禁」するなど「明らかな戦争犯罪」を犯していると報告している。*8 また、ロシア国内でこの侵攻に対して異論を唱えれば脅迫にあうため、反戦派の生活は非常に困難なものになっている。[*9] それでも、あまりに理不尽で無慈悲な戦争に対して、同年五月にはロシア国内でも反戦派の声が発せられるようになった。[*10]「戦い」を終わらせるにはどうすればよいのだろうか。そして、ウクライナ側の抵抗はどのように理解できるのだろうか。教育学者の古川雄嗣は、中国思想・日本思想研究家の大場一央との対談の中で、「ロシアに抵抗して戦っているウクライナ人」は「危険なナショナリスト」ではないと擁護する。[*11] この意見には賛同しながらも、二〇世紀の戦間期に戦争について書いた作家ヴァージニア・ウルフの「私は祖国が欲しくはないのです。女性としては、全世界が私の祖国なのです」という主張にも耳を傾けたい。[*12] 彼女にとっての「危険なナショナリズム」には、ナチスの国粋主義のみならず、戦争を煽動するために「ぼくはわが祖国を守るために戦っている」という「正義」も含まれる（『三ギニー』、一六一頁）。『アウトランダー』のジェイミーは最終的にジャコバイトの武力蜂起に命を懸けることを決意するが、クレアには「戦い」自体を食い止めたいという切実な思いがあった。彼女にもウルフと同じ反戦思想があり、ジャコバイト運動が鎮圧されるきっかけとなった「カロデンの戦い」が勃発しないよう、ジェイミーを説得してフランスでチャールズ王子への謁見を実現している。最終的にはこの戦争という暴力を食い止める試みは失敗に終わったが、クレアの切実な反戦への思いが前景化されている。

『アウトランダー』は現代人が抱え込むジレンマを如実に表してもいる。反戦思想に共感しつつも、刻々と変わりゆく歴史の情勢を踏まえれば、理不尽な攻撃に対して武装せずにはおれない状況も描き出している。これは、ロシアとウクライナの戦争を「おおまかにいえば帝国主義とナショナリズムの戦いである」と評した古川の指摘にも通じるだろう。それに対しての大場の応答は、帝国は地域に根ざす「ナショナリズム」と対立関係になるため、「ロシアに当てはめれば、ウクライナだけでなく、ソ連時代のフィンランドやポーランド、アフガニスタンへの侵攻など、「共産主義」「スラブ」「ロシア」などの観念を覆い被せて、固有の価値観を破壊、吸収しようと振る舞う帝国としての性格を持つ」というものだった。当然、この枠組みを一八世紀のイングランドに当てはめれば、スコットランドだけでなく、アイルランドやウェールズの合併は帝国主義的な性質を帯びてくる。

古川がウクライナ市民が祖国防衛のために戦う「勇敢さに感じ入った」と彼らのナショナリズムを擁護するとき、「あえてナイーヴな言い方をしますが」と留保している。イギリスの帝国主義とその歴史的背景を研究してきた筆者にもそのナショナリズムをめぐる複雑な文脈は想像がつく。筆者はジャコバイトの「ナショナリズム」を無批判に擁護もできなければ、単純に「悪」であるとみなすこともできない。イングランドと合併し、スコットランドは「国」ではなくなっていたが、武力蜂起が起きた一七四五年には、まだ「スコットランド人」という国民意識が存在していた。ここ十数年の動向を振り返っても、スコットランド人の帰属意識はまだ揺れ動いていると言える。スコットランドは独立運動を起こし、二〇一四年九月十八日の住民投票にまで発展した。ただし、その結果、独立賛成票は四四・七％に留まり、イギリスからの独立は実現しなかった。スコットランド自治政府のニコラ・スタージョン第一首相は二〇二一年五月に、ボリス・ジョンソン英首相と電話会談し、スコットランド独立をめぐる二度目の住民投票は「やるかやらないかではなく、いつやるかという問題だ」とさえ述べている。[*13]

当然、古川以外にも「祖国愛」という意味のナショナリズムを擁護した知識人はいる。イギリス人作家ジョージ・オーウェルである。彼も、祖国を愛するという意味で「パトリオティズム」（patriotism）という言葉を用いて支持した。ただし、オーウェルの場合、「ナショナリズム」といえば、彼が「ユダヤ人差別という病気」と呼ぶドイツの国粋主義的ナショナリズム、すなわち民族への差別を意味する。[*14]他方、彼にとって「パトリオティズム」とは「特定の地域と特定の生活様式に対する献身」であり、それは「自分では世界中でいちばんよいものだとは信じるが他人にまで押しつけようとは思わない」防御的、非暴力的、非支配的なものである。

すなわち「パトリオティズム」は、権力欲と切り離せない「ナショナリズム」と同義ではない。「ナショナリズム」とは、「より大きな勢力、より大きな威信を獲得すること、といってもそれは自己のためではなく、彼がそこに自己の存在を没入させることを誓った国なり何なりの単位のために獲得すること」であり、オーウェルにとって「パトリオティズム」はそれとは異なる性質を持つ。[*15] ここで留意しなければならないのは、川端康雄も指摘しているとおり、「パトリオティズム」を日本で一般に理解されるいわゆる「愛国心」と訳すのは「いささか危うい」ということである。[*16] 日本も、戦前の帝国主義による侵略と三十五年間の植民地支配が朝鮮半島の人々から奪った尊い命や、言葉や名前のこと、あるいはそれ以外のアジア諸国で行った暴力行為を考えれば、権力欲と切り離すことができないナショナリズム、あるいは帝国主義は、対岸の火事として看過できる問題ではない。[*17] ナショナリズムとは、一九世紀にヨーロッパ大陸で生まれたイデオロギーで、同じ言語、文化（そして究極的には人種）をもつ国民は、これらを共有する政治組織を形成することが想定され、またそうあらねばならない、という意志や主張のことを意味するがゆえに、[*18] 権力によって多様性を排除する国粋主義の側面もある。

ロシア軍のウクライナ侵攻をめぐり、日本でも反戦思想が広がることを期待するが、元防衛相の小野寺五典を会長とする自民党安全保障調査会は二〇二二年四月、防衛費の大幅増や「反撃能力」保有を求める党の提言を岸田首相に提出した。小野寺は、ウクライナ危機の教訓について尋ねられ、「ロシアは、ウクライナが弱く守ってくれる国もないと誤解したから攻め込んだ。逆に言えば、日本が強く、守る仲間がいれば攻撃されない。これが日本が学ぶことだ」と武力で解決することを強調している。[*19] 『戦争に抗する　ケアの倫理と平和の構想』の著者、岡野八代は、日本社会が戦後七十年以上を経た今、「わたしたちは誰になるのか」と問う。「戦争に抗すること、それは、立憲民主主義の原点にわたしたちが集結し、一人ひとりの具体的な生の傷つきやすさの経験から、ひとの支配、ネオ絶対主義的な権力にしっかりと異議を唱えることなのだ」と訴える。[*20]帝国に限らず、大国が小国を武力で支配する歴史は世界中で繰り返されてきたが、現在進行形で権力をふるう帝国主義者の顔を見せるロシアの権威主義、またそれに乗じて軍備増強を進めようとしている日本の政治家たちに強く異議を唱えたい。

3.『ウェイヴァリー』における〈ケアの倫理〉

スコットが生きた時代は、ナショナリズム形成期の過渡期であったため、スコットランド人の帰属意識はまだ定まっていなかった。ジャコバイトたちはいわばスコットランドのナショナリズム――オーウエル的には〝パトリオティズム〟――を政治的に体現する人々である。主人公のエドワードは、イングランドの世襲階級に生まれたが、心情的にジャコバイトの伯父サー・エヴァラードの後継としても育てられたため、彼が忠誠を誓う「国」がどちらなのかは不確かである。父親のリチャード・ウェイヴァリーはイングランド国王の命を受け、息子エドワードを「竜騎兵ガードナー連隊所属のウェイヴァリー大尉として任官し、（中略）スコットランドのダンディーに駐屯中の本隊に」着任させなければならなくなった。[*21] エドワードは、武器を持って戦うような男性的な属性を期待されながらも、図書館では「楽しみを求める欲望のおもむくままに（中略）いわば水先案内も舵もない船のように、書物の大海原に跳び込んで」読み漁るほど、書物が与える空想の世界にも没頭する（『ウェイヴァリー』（上）、四三～四四頁）。さらには、エドワードの想像力を駆り立てるレイチェル伯母の物語がある。伯母は、戦争で婚約者を喪くした「ミス・ルーシー・サントウバン」という女性の悲恋の物語を語るのだが、彼女の語りはジェンダー（女性性／男性性）で区別できない両性具有的なものである。伯母の物語からは、「愛する人のために一生独身を通し、そのまま生涯を終え」たミス・ルーシーの姿が浮かび上がるだけでなく（同、五五頁）、「エドワードの耳には、馬が疾駆する響きや、男たちの叫びや怒声、それに混じって断続的に聞こえるピストルの音」となり、「大波のように迫ってくるのを、はっきりと聞き取ることができる」のである（同、五七頁）。

スコットの時代は階級が流動化し始める「メリトクラシー」（＝能力主義）時代の黎明期ともいえる。とりわけ男性は、自分の出自によって生き方や考え方が運命づけられていた封建社会から、それを個人の力で変えられる可能性が広がる近代へと移行した。そういった意味では、オースティンの『説得』は象徴的な小説で、ヒロインであるアン・エリオットの父サー・ウォルターの世襲制階級は衰退の傾向にある一方で、アンの意中の人であるウェントワース大佐は実力と運がものを言う海軍で軍人として活躍し、前途有望である。『ウェイヴァリー』のエドワードの運命も必ずしも世襲制に閉じ込められているわけではない。彼の場合、イングランドの将校としての義務と心情的に共感できるスコットランド人の利益とが対立している。「祖先すべてが武器を取った年頃」になって、戦場に赴くことを受け入れるエドワードだが（同、六八頁）、生の傷つきやすさを伝える伯母のロマンチックな悲恋の物語もまた彼の男性性を揺さぶり続ける。

『ウェイヴァリー』にも、『アウトランダー』のジェイミーのイメージとぴったり重なる男性性の体現者が登場する。ハイランド氏族で領主のファーガス・マッキーヴァーである。エドワードは、スコットランドのローランドで伯父の親友であるブラドワーディン氏の娘ローズに出会い、彼女から教えられるハイランド氏族のことやファーガスのことに関心を寄せていく。ファーガスは、「ハイランドの有力な一門（クラン）の分家」の領主で、「権力も大したもの」だが、「力強い親戚や同盟者に恵まれているので、大変尊敬されて」いる（同、二三〇頁）。そして、じっさいにファーガスに会ったエドワードは彼の「容姿に独特の気品と、威厳があるのに驚かされた」（同、二八二頁）。ファーガスは、「国を追われた（スチュアート）王家のために身を捧げたいと願」い、またこの「王家が英国の王位に返り咲く日も遠くはない」と思い込んでいた（同、二九二頁）。ジェイミーも彼が従える戦士たちも武術や小銃の扱いに優れた技量を持っているが、『ウェイヴァリー』のファーガスや彼の戦士たちの能力も高く、「一門の戦士たちは信じられないほどの速さ、力、敏捷さを発揮した」（同、二九六頁）。エドワードは、ファーガスの「気品」や「威厳」に魅せられ、イングランドへの帰属意識が揺らぎ始める。

エドワードが脱男性性化できるのは、ファーガスの妹フローラの影響でもある。ファーガスが「徹底した政治家」であるなら、フローラの「純粋な情熱」は、「一族の者が、貧困、あるいは少なくとも耐乏生活に陥らないよう、そして外部から不当な圧力を被らないよう見守りたいという優しさに根ざしている（同、三一七頁）。エドワードはその彼女の美しさや心の豊かさに惹かれていくが、イングランドの将校としてファーガスのような武力や戦術に秀でているわけでもない。唯一彼が誇れるのは想像力と雄弁さ、そして伯母やフローラから学ぶ生の傷つきやすさへの深い理解である。そのような彼はいったいどのように戦場を生き延びたのか。ファーガスが誇る武術という「メリトクラシー」によってでないことは確かである。つねに危険と隣り合わせでありながら、（最後に敵から逃れるための手助けと引き換えに報酬の支払いを申し出る以外は）彼の特権が役に立つことはほとんどない。エドワードがイングランドを離れて敵地で命を奪われないためには、富や階級でない「メリトクラシー」、武術を活用すべきなのだろうが、彼の繊細な感受性や共感力が、それを許さない。

性別と階級の差異をいったん棚上げするならば、『アウトランダー』のイギリス人女性のクレアが、それまで想像もできなかったハイランドの社会にいきなり投げ込まれる点は、エドワードの状況に限りなく近い。二人ともイギリス／イングランド人でありながら、スコットランド人に敵意を抱くどころか、クレアはタイムスリップ以前、スコットランドの歴史に少なからず関心を寄せていたし、エドワードは伯母から聞かされた、スチュアート家のために戦った先祖たちの武勇伝に共感していた。ジャコバイトの反乱に巻き込まれながらも、クレアは看護師という職業柄、戦場で人を殺すのではなく、敵味方関係なく、傷ついた人々を治療し、多くの命を救っている。エドワードに至っては、敵であるはずのファーガス・マッキーヴァーや妹のフローラに心を奪われ、彼らの味方になってしまうのだ。

4．脱走兵ウェイヴァリーの哲学

エドワード・ウェイヴァリーは、イングランドで教育を受けているため、ジャコバイトのスコットランド人たちが話す共通言語を理解しないことも多い。ここにコミュニティからの疎外という問題も生まれる。この言語のことも関係して、小説を通してエドワードの帰属意識は揺らぎ続ける。彼の「揺れる」（waver）さまは、次のような言葉からも見て取れるだろう。

国民全体の総意に従えば、まさしく〔スチュアート家の〕ジェイムズ二世自身がその権利を自ら放棄したのではないか。その時以来、四人の君主がブリテン国を平和裡に立派に統治し、国外では国の威信、国内では自由を維持、高揚してきたのだから。理性が質問をする。(『ウェイヴァリー』(中)、八四頁)

彼は、「これほど長く定着し、基礎を固めてきた〔イングランドの〕政府に刃向かって、自業自得で王位を剝奪された君主の子孫を再び王位につける目的で、王国全体を内戦の悲劇に叩き込むことは、果たして意味のあることだろうか?」とジャコバイトの反乱の大義そのものに疑いの目を向け始めるのである(同、八四頁)。

ところが、そう時間をおかずにまた状況が変化すれば、エドワードはジャコバイトの人々への共感で胸がいっぱいになるのだ。

ウェイヴァリー家の記録に残る優れたもの、価値あるもののすべては、スチュアート王家への忠誠がもとになっている。伯父や父の手紙を読んで、このスコットランド人の治安判事が解釈するところによれば、彼らの手紙が私に、先祖が歩んだ道を歩むよう導いているのだと理解すべきなのは明らかだ。(同、一六三頁)

『ウェイヴァリー』は歴史小説としては幾分アンチ・クライマックスなのかもしれないが、エドワードは――河野真太郎の言葉を借りるなら――時代に先んじて「ポストメリトクラシー」的な能力を標榜しているといえないだろうか。[*22] その能力を身につけるということは、「「男性性」の外側へ」つねに向かうということでもある（『新しい声を聞くぼくたち』、一七二頁）。それは、コミュニケーション力に長け、あらゆる状況に対応する能力でもある。スコットランドに帰属意識を持ち始めたエドワードはたとえ「様々に入り組んだ気持ち」で不安になったとしても、「自分の空想力、活気、雄弁のすべてを発揮させていたために、居並ぶ人々すべてに感嘆の念を引き起こす」ことができた。チャールズ王子の前でもその能力を遺憾なく発揮し、「王子の正統な権利を擁護するために、心も剣も捧げることを誓った」のだった（『ウェイヴァリー』（中）、二四七頁）。戦いの前夜、すぐそこまで危険が迫っていても、エドワードは「陽気な気分は、損なわれるどころか、益々活気を帯びて来て（中略）とにかく現在を楽しもうという気分になっていた」（同、二九八頁）。

エドワードは寡黙なまま武力や腕っぷしに訴える時代に背を向け、交渉術で他者も自分も傷つけない方法論を編み出した、新しいヒーロー像を体現している。「メリトクラシーはそのはじまりにおいては、生まれによって社会階級が決定される階級社会のアンチテーゼであったはず」だが、「個人の努力を強調するメリトクラシー社会は、熾烈な競争社会にもなりえ」る（『新しい声を聞くぼくたち』、二二二〜二二三頁）。ここには知らず知らずのうちに、メリトクラシー社会がポストメリトクラシー社会に取って代わられるというズレも認められる。この柔軟に対応する「「能力」は、一回獲得されてそれきり、というものではなく、常に更新されなければならない」類のものだ（同、三〇三頁）。

世襲階級に生まれたエドワードは、地位や家柄と無関係の能力――たとえば戦う技量や軍隊を束ねる能力――は鍛錬しない。それでも「対応力」を存分に発揮することで、最終的には命拾いすることができる。彼は、ジャコバイト側の雲行きが怪しくなってすぐ軍隊から離脱するのだが、うっかり農場主に見つかってしまう。彼はすかさず次のように救いを求めている。

「私の命が危険にさらされているのは知っています。しかし私に手を貸してくれれば、たっぷりお礼はするつもりです。私はスコットランド人じゃなく、不運な騒ぎに巻き込まれたイングランド人の紳士なんです」（『ウェイヴァリー』（下）、一七三頁）

一時は深い共感とともにジャコバイト軍の仲間入りをしたエドワードであったが、その忠誠心がもはや一欠片（かけら）も残っていないこの発言に読者はずっこけるしかない。しかし、ウルフも「病気になるということ」というエッセイで言祝ぐ「脱走兵」としての生き方は、本質的に生命を守る生き方であり、ある意味示唆的である。*23

一八世紀の新しいヒーロー像が二一世紀の私たちの心に響くことがあるのだろうか。筆者は現代人の生きづらさとジャコバイトの反乱で戦う戦士の苦しみが同じといいたいわけではない。ただ、河野が述べるように、ポストメリトクラシーという能力観が「ある普遍性」を帯びていることも事実である（『新しい声を聞くぼくたち』、二三二頁）。なぜなら「そこに含意されるのは、突発的な状況に対して臨機応変・フレキシブルに対応し問題を解決できる能力」であるからだ（同、二三〇頁）。エドワードは戦場で、かつて自分が忠誠を誓ったイングランド政府軍士官が「避け難い死」に向かっていると察し、「彼をぜひ救いたい」と思う。そして試行錯誤の末に、エドワードはその士官に彼の「安全を願」っているのだと理解させ、剣の残骸を差し出させることに成功する。この臨機応変な判断力によって、エドワードはこの士官を殺さずその身柄を仲間に預けることができたのだった（『ウェイヴァリー』（中）、三五〇頁）。

ロマンチックな性向に偏った読書習慣が相まって、当初、エドワードの頭の中はエキゾチックなスコットランドでいっぱいになっていた。しかし、フローラに一方的に恋したエドワードの気持ちは報われず、最終的には脱走兵となり、ローランド――イングランドとハイランドのあいだ――で出会ったローズと結婚する。『ウェイヴァリー』が近現代の社会に特有の問題を象徴的に表しているとすれば、それは主人公のエドワードが「国民」

「民族」「階級」「男性」といった集団・コミュニティへの帰属意識を育む古典的な能力ではない、オルタナティヴな「対応力」や柔軟性を体現しているからであろう。一八世紀の戦場においては、男同士が連帯し「わがチーム」、つまり「コミュニティへの自己同一化」を通して忠誠心を貫く「能力」が求められた。ファーガスはその能力に特化していたがために、最後は死を免れない。ファーガスの男性的な価値の対極に置かれる『アウトランダー』のクレアと『ウェイヴァリー』のエドワードの近接性は意識し始めると驚愕すべき度合いである。男性としての性規範にとらわれず、戦況に応じて「対応力」を発揮するエドワードの「能力」(capability)は、先述したキーツの「ネガティヴ・ケイパビリティ」という言葉で表現することもできるだろう。そして、スコットはキーツの同時代人なのである。一般的に「能力」といえば、何かを達成する、あるいは決断をして行動に移すことのできる力と理解される。しかし、「ネガティヴ・ケイパビリティ」は、論理的思考や決断力によって問題を解決してしまう、解決したと思うことではない。そういう状態に心を導くことをあえて留保することをいう。つまり、「宙吊り」の状態、不確かさや疑いのなかにいることのできる能力である。エドワードの人生の選択は、家父長的な義務や権力によって同一化させようとする圧力から逃れ、自分から連帯できる、あるいはしたいと思う人々と生活を共にすることに帰着する。このような連帯は、カナダの政治哲学者チャールズ・テイラーの言葉とも共鳴する――「連帯を上から管理することなどできない。連帯とは、人々が真に自己を同一化させるものでなければならない」。国家規模の共同体であれ、私的な繋がりであれ、他者に何かを強制する、「過剰なほどの中央の支配は誰もが望む繁栄を切り詰める恐れがあ」ると考えている。[*24] エドワードはジャコバイトの反乱を鎮圧するイングランド側の「プレーヤー」という役割を上から与えられながら、終始、戦争の「観戦者」であることに徹し、心情的に共感はするが、権力や伝統で支配するいずれの側にも自己同一化することはない。彼の美徳は、この時代の男性でありながら、人を傷つけることを回避するケア能力を開発した点にあるといえないだろうか。

14章　ケアの倫理とレジスタンス

——オースティンの『レイディ・スーザン』と映画『ロスト・ドーター』

1. 「母親になって後悔すること」をめぐるタブー

ジェイン・オースティンの『レイディ・スーザン』という作品をご存じだろうか。度々映画化されている『高慢と偏見』や『分別と多感』などと比べれば、この作品の知名度はきわめて低く、研究者による評価も円熟期の六作品には及ばないだろう。それもそのはず、この小説はオースティンが十代後半から二十代にかけて書いたものといわれ、「習作から円熟作への過渡期的作品」とされている。[*1] 確かに、女性の描き方については、広く一般読者をターゲットにした商業小説としては十分練られているとは言い難い。しかし、だからこそ『レイディ・スーザン』に描かれた規範に抗うヒロインの生き様は直球で読者の心に届く。スーザンは、惣谷美智子の言葉を借りれば、「自らの野望達成のためには、断固たる意志力をもって、周囲の者たちをなぎ倒すのみならず、彼らをどこまでも利用してはばからない」、つまりは「悪漢」であり（『オースティン『レイディ・スーザン』』、一八六頁）、自己犠牲的な〈母〉を期待する読者にとっては、とんでもなく異色なキャラクターに映る。この小説は、二〇一六年にホイット・スティルマン監督によって『Love & Friendship』(原題)というタイトルで映画化されたが、日本では劇場公開もなく、ほとんど取り上げられることがなかった。それは自己主張の強すぎるヒロインが日本で忌避されている証左なのかもしれない。

スーザンの規範からの逸脱ぶりは、オースティンが代表六作品で描く母親像と比較してみても群を抜いている。たとえば、『分別と多感』に登場する主人公マリアンやエリナーの母親ダッシュウッド夫人のように、常に娘のために条件のよい結婚相手を確保しようとするタイプでもなければ、『高慢と偏見』のエリザベスの母親ベネット夫人のように、夫や娘が嘲笑する(あるいは見下すような)対象となるわけでもない。ベネット夫人は、ただ娘たちの結婚や幸せを願う、「純粋といえなくもない母親」なのだが(同、一八九頁)、スーザンは、世間から愚弄されるほど、母親としては自己犠牲的精神に欠け、いかなるときも主体的に生きようとする。

もちろん現代社会では仕事に生きる女性も増え、自己実現を果たそうとする彼女たちへの白眼視、あるいは特別視は軽減したといえるだろう。それでも、今日にいたってもなお、女性ならばよき母になるべきという重圧は、一人ひとりの女性によって沈黙のうちに受け止められている。それは、二〇一六年に雑誌『FRaU』のロングインタビューで俳優の山口智子が「私は、子供のいる人生じゃない人生がいい」「子供を産んで育てる人生ではない、別の人生を望んでいました。今でも、一片の後悔もないです」と告白して大きな反響を呼んだことからも分かるだろう。同時に、輝かしいキャリアを誇っていても生物学的に「女」であることで、子産みをめぐる葛藤から自由になれない女性も多い。当時NHKアナウンサーだった有働由美子が『あさイチ』という番組で自分の複雑な気持ちを吐露した。有働によれば、「まわりの友人たちが結婚ラッシュを迎えたときにも出産したい気持ちが高まったが、大きな仕事を任されるたびにその気持ちも低下」した。他方、婦人科の医師に言われたことがきっかけで、「産みたい気持ち」が膨らみ、「産む可能性、機能があるのに、無駄にしたんじゃないかと。気が狂ったように泣いたりして病院通いした」とも語っている。[*2] 彼女の著書『ウドウロク』収録のエッセイには、現代の女性がいかにこの抑圧と対峙しているかが切実に語られている。「わき汗」が女性らしくない問題、恋愛のこと、海外で出会った多様な人々、そして仕事か結婚かの二者択一が女性にいかに重くのしかかっているかについても綴られる。「対処しないでこのままにすれば出産はかなり厳しい」と目の前の医師に告げられたとき、「心臓がバクンと大きく波打ったのを、今でも鮮明に体が覚えている」と彼女はいう。[*3]「自分が出産できなくなるかもしれないということが、これほどまでに自信を根こそぎ奪い去ってしまうとは、思いもしなかった」。さらに、「がんばれば、行けるんじゃない？　女なんだから、やっぱり産めるなら産んだ方がいいよ」と友達から言われ、「心の中で涙がどっと流れた」（『ウドウロク』、二二一、二二四頁)。

「女性には、女性という身体に生まれたというだけで、妊娠・出産を経て母になる人生を歩むのか、そうではない別の人生を歩むのかという選択が常に付いて回る」と指摘したのは、『妊娠・出産をめぐるスピリチュアリティ』の著者、橋迫瑞穂である。[*4] 橋迫は、出産を選ぶ女性たちの意識や価値観と「スピリチュアル市場」での妊娠・出産にかかわるコンテンツを結びつけ、女性を取り巻く言説を詳らかにしている。なぜ多くの女性が「自然」(「子宮」などの自分の身体)と聖性を結びつけるスピリチュアルな言説を肯定するのか。「それは、女性性器を有して、女性の身体に生まれたというだけで、ともすれば社会から不当な扱いを受ける事態から、女性自身の意識やありようを守ってくれる価値観でもある」からだ(『妊娠・出産をめぐるスピリチュアリティ』、一七七頁)。ただし、橋迫が最後に述べているように、現代社会で女性が〈母〉になると、「子どもとともに社会から孤立する状況が前提となっている」問題は、もっと注目されてもよいだろう(同、一九八頁)。なぜなら、〈母〉が社会から離れて抱え込む複雑な葛藤が不可視化されてきたからだ。この女性特有の葛藤を浮かび上がらせたのは、日本でも韓国文学の読者層を広げるきっかけとなったチョ・ナムジュによる『82年生まれ、キム・ジヨン』である。[*5] 結婚と出産により働いていた広告代理店を辞め、子育てを始めた主人公ジヨンに、ときおり自分の母や別の誰かが憑依してしまう症状が現れる。ジヨンの憑依が表しているのは、家父長的な社会における性差別や構造的な不平等によって彼女が日常的に経験する苦痛である。仕事を持っていた彼女は子供をつくるのはまだ早いと考え、それを夫デヒョンに伝えたときも、その後、出産し子育てをしながら再就職への意思をはっきり彼に告げたときも、夫は彼女を思いやりはしても本当のケア精神を実践しているとは言いがたい。新婚当初のデヒョンもジヨンの仕事と子育てが両立するか案じているような素振りを見せていたが、子育てのために孤立するのは当然自分ではなく彼女の役まわりであると信じ切っているのである。

二〇二二年三月に邦訳されたイスラエルの女性社会学者オルナ・ドーナトによる『母親になって後悔してる』が報告する研究内容は、ジヨンが抱え込むような葛藤を言語化する画期的な試みである。これはいくつかの基準を満たしていることによって「後悔」しているとみなされる女性たち二十三人へのインタビューに基づいている。[*6]「母になったことの後悔」について語ることは、社会的に許されがたい非道徳的なものであると思われてしまうことが多い。ドーナトも述べているとおり、このテーマがインターネットで取り上げられる際には大きな反響とともに、「懐疑」「不信と怒り」などの反応を「はっきりと見る」ことができる。女性が、母になって不幸である、あるいは後悔していると感じていても、それを公に表明すること、あるいはそういう研究が行われていることに対して、バッシングが起きるのである。「後悔する母は利己的で頭のおかしな傷ついた女性」(『母親になって後悔してる』、一四頁)であるというような反応は、家父長的な文化における母性神話の強大さを物語ってもいるだろう。

ドーナトが『母親になって後悔してる』を出版することによってアカデミアにおけるタブーに挑戦したように、映画業界でも同じタブーに挑んだ人物がいる。ネットフリックスの映画『ロスト・ドーター』で監督デビューした、アカデミー賞助演女優賞のノミネート経験もあるマギー・ギレンホールである。この映画の根幹には、母親たちが孤独と不安を抱えながらいかにサバイブするかという問いと、女性なら当然そなわっているとされる母性をめぐる根深い問題がある。子育ての精神的なトラウマを引きずる大学教授レダが、夏の休暇中に年若い母親に出会うことで過去の記憶が蘇ってくる。最終章となる本章では『ロスト・ドーター』と『レイディ・スーザン』を分析しながら、女性が内面化してしまうミソジニーや、神聖視される〈母〉とそれに抗する女性たちの奮闘について書きたい。

2. 言語化できない愛憎の感情
――『ロスト・ドーター』

1章ではキャロル・ギリガンが行った『アンネの日記』分析に触れながら、アンネ・フランクの母親エーディトに対する複雑な感情について論じた。エーディトはスーザンのような自己主張の強い母ではなく、家族のために生きる、規範に従う女性である。にもかかわらず、アンネは母嫌いを表明していた。一九四二年十月三日に「ママには我慢がならないんです」「ママのことは嫌い」[*7]と綴っていたアンネが、最終的にはさまざまな葛藤を乗り越えて、母を擁護するようになる。アンネ自身、なぜ母親のことが嫌いになったのか「自分でもさっぱりわかりません」（『アンネの日記　増補新訂版』、九三頁）と書いていたが、一九四四年一月二日には、「過激な言葉をぶちまけたのも、たんに内心の憤懣に捌け口を与えていただけです」と自分のそれまでの母に対する怒りの感情を反省的に捉えている（同、二七五頁）。そのきっかけは、おそらくは父オットーが母エーディトに向けるミソジニー的な態度への怒りであった。

おとうさんがおかあさんに向ける目は、からかうようであったり、ひやかすようであったりしますが、けっして愛情がこもっているとは言えません。（同、三二〇頁）

アンネはなぜ〈母〉に、あるいは父の〈母〉に対する態度に対して、こうも感情的になったのだろうか。一九八〇年代から自己と他者のあいだで葛藤することを評価する〈ケアの倫理〉の重要性を訴え続けたギリガンだからこそ着目した問題であるように思える。

上野千鶴子は、家父長的な社会における「父の娘」の心理を見事なまでに言語化している。彼女は、具体例として第二波フェミニズムのパイオニアでもある飯島愛子のエッセイ「生きる――あるフェミニストの半生」に依拠しながら次のように述べている。

飯島は富裕な産婦人科開業医の娘として育った。権力的な父は「何かにつけて『だから女はダメなんだ』という言い方で母に対していた」。彼女にとって「女とは厄介な存在そのものであり、軽べつすべき下級の存在だった」。

彼女は書く。

「おんな性を嫌悪し、おとしめる心は父によって造られ、母から娘にひき継がれる」

父親を嫌悪し、母親に批判的だったはずの娘は、長じてのち、「父に対する母の関係のひき写し」のような関係を、結婚相手とのあいだで反復する。*8

上野によれば、このような「父の娘」、あるいは女性が内面化してしまうミソジニーから脱する道は、女が「母であること」と「娘であること」から、「オリル」以外にない（『女ぎらい』、一九〇頁）。もし「父の娘」が「母」を忌避するならば、当然、娘は成長したのちに「母」になるかどうかの決断を迫られ、葛藤を抱え込むことになるだろう。

二〇二二年『文藝』春号収録の水上文による論文「「娘」の時代——「成熟と喪失」その後」や、前章で取り上げた河野真太郎の『新しい声を聞くぼくたち』でも論じられているように、ポストフォーディズムにおいて要求される柔軟な「対応力」は、ますます女性の包括的なケア実践のなかに求められている。水上が引用する信田さよ子の言葉ほど、今の女性たちが苦しめられている抑圧を的確に表しているものはない。「いい？　ママはね、あなたのためにやっているのよ。あなたの未来は無限なんだから、その能力を伸ばすために一生懸命協力しているの」という母の言葉は、「選択と自己責任というタームに帰着される出来事が、日々愛情という言葉にくるまれ、「あなたのために」と拘束を強める」のだ。[*9]「まるで暖かい真綿で首を絞められるような、わけのわからない息苦しさ」と信田が表現する言葉は、多くの母親が日々感じ、また娘が恐怖する未来の苦しみなのだろう。社会から期待され続ける、〝ケア〟とも呼ばれる「対応力」は、水上がいうように「旧来の男性性の規範よりもむしろ伝統的な女性性の規範に合致し」、この「一手に引き受けるべきとされる母親の責任」に関する問いやそれをめぐる言説を再考することを促す。

いかなる人間も誰かに依存し、家族にケア（家事、育児、介護）されて初めて、健やかに成長し、生活することができる。そのことを踏まえれば、ケア実践や他者に寄り添うケア精神が社会に不可欠であることに疑う余地はない。また、SNSなどを見ているかぎり、〈母〉になることが女性にとって意味のある関係性を持ち得ることや、満足感や喜びを与え得ることは否定できないだろう。しかし他方で、不安や葛藤、あるいは寄る辺なさや欲求不満を抱える〈母〉たちの愁訴の声は蔑ろ（ないがしろ）にされているのではないか。彼女たちの声は抑圧され、おそらく精神医療の現場あるいはピアグループなどを除いては、母親たちの心の裡は、それこそドーナトの『母親になって後悔してる』の稀有な研究調査などでしか聴かれていないのではないか。彼女たちは、痛みを感じる生身の人間として生きているにもかかわらず、〈母〉という文化的理想として祭りあげられている。そのような状況は耐えがたい苦しみを伴うのではないか。

「自分を産み、育て、骨身を惜しまず世話をし、最初の強者として立ちはだかり、にもかかわらずそれより強者である夫に仕え、自分のために夫からの苦しみに耐え、どんな犠牲をもすすんで引き受け、何があっても受けいれてくれる女」。こんな人間は「ファンタジーのなかにしかいない」はずだ（『女ぎらい』、一四二頁）。それでも、そんな〈母〉の役割を女性は期待され続けている。女性は、〈母〉になった瞬間から、直面する新しい現実に当惑しながらも、「彼女の肉体と人生が、他者の人生に責任を負い、その人生の長期的な結果が不確実であるという「シンプルな」事実によって、複雑な感情をたたえた相反する関係性の中心」へと投げ込まれる。さらに「母は（父ではなく）、面倒を見すぎる、距離を置きすぎる、過保護だ、冷淡すぎるとして非難の対象にもなる」（『母親になって後悔してる』、七七頁）。このような経験が〈母〉の相反する感情を強め、複雑な葛藤を生じさせる。

マギー・ギレンホールの映画『ロスト・ドーター』は、まさに〈母〉の苦悩の物語である（ここから先はネタバレを含む内容であるため、作品に興味のある読者はこの作品に接してから読み進めていただきたい）。比較文学、近代イタリア文学の学者であるイギリス人の中年女性レダ・カルーソは、休暇で訪れたギリシャの港町のビーチでイタリア系アメリカ人のニーナと彼女のまだ幼い娘エレーナと出会う。この母娘に出会ったことによって、レダは、大学院時代にまだ幼かった娘のビアンカとマーサを育てながら、自己実現に向かう欲求と日々の子育てのあいだで揺れ動き、苦悶していた過去がよみがえる。自分が大切にしていた人形を娘に贈っても、娘は悪戯書きをする。二人の娘は常に新たな要求を突きつけてきて、ひとときも休ませてくれない。ニーナも子育てで気が滅入っている様子だが、レダもかつては同じようにノイローゼ気味であった。レダの葛藤は、ドーナトのいう「母性のアンビバレンス」と重なるだろう。その苦しみを表現するためにドーナトは、アドリエンヌ・リッチの言葉を引用している。「私の子どもたちは、私が経験した中で最も激しい苦しみを引き起こす。それはアンビバレンスの苦しみだ。苦い恨みと鋭いいらだち、至福の満足と優しさの間を殺人的に行き来する」(同、七七頁)。これはドーナトが引用するロジカ・パーカーによれば、「子どもへの愛憎の感情が並走している状態」である。「母になったことが人生最高の出来事だと感じられ」ず、世間からは「正常ではないと見なされ」る(同、七八頁)。キム・ジヨンが苦しんだ症状も含め、出産後の女性が体験するうつ病が「(比較的)道理にかなった心の状態であると見なされるようになったのは、ごく最近のこと」であり、「後悔」などの負の感情を言葉にすれば、「たちまち「悪い母」というレッテルを貼られること」を自覚する女性たちは、長いこと「出産後に感じるべきと期待されている以外の感情を認めることを恐れていた」(同、七九頁)。

若い頃のレダもこの同調圧力に苦しみながら、誰にも話せずにいた。ある日、カップルのハイカー二人が、レダの家族が間借りしていた教授の家に雨風を凌ぐために入ってきた。女性の方がイタリア人で子ども三人を母親に預けて夫と旅をしているところだった。レダと彼女の夫はゲストに夕食を振る舞い、レダは知っているイタリア語の歌を歌う。そこにレダの娘がやってきてゲストの耳にイタリア語に翻訳されたW・H・オーデンの詩を囁く。「折れた翼から震えが伝わる」という一節はレダがたびたび引用していた詩の文章で、娘が覚えていたものであった。イタリア人女性も子を持つ母であり、レダが無意識に娘に繰り返し伝えていた詩の断片からその言語化できない苦しみを理解する。二人の束の間の魂の交感が示しているのは、母親業を実践する孤独な人間が文学の言葉に慰められたということであろう。イタリア人女性はそれを「美しい」といい、去っていった。ただそれだけのことだが、レダにとっては感情が穏やかに波打つ、温もりのある記憶として脳裏に留まった。

「母親になって後悔してる」と言葉にして言うことのできないもう一人の女性がニーナである。ある店でニーナたちに子どものことを尋ねられたレダは気分が悪くなり、足元がふらつくのだが、後日、そのときのことをニーナに聞かれ、レダは若かった頃に、七歳と五歳だった娘二人をおいて家を出たことがあると告白している。母親が子供をおいて家を出ることは、一般通念においては突飛、あるいは信じがたい奇行としか思われないだろう。

しかし、日常的にケアを押しつけられる〈母〉も一人の生きた人間であり、自分も子育てに苦しんでいるニーナは、そのことを十分すぎるほど理解している。彼女は、娘をおいて出たときどういう気持ちだったか尋ね、レダはそれに対して「最高に気分がよかった」(It felt amazing)と答えている。物語の終盤にレダの宿泊先を訪ねてきたニーナが子育てについて「終わるかしら……なんていうのかしら……。私うつ状態かなにかだと思うのよ。終わる?」と子育ての不安を吐露している。そしてニーナは最後に、「最高に気分がよかったなら、なぜ娘さんたちのところに戻ったの?」とレダに聞かずにはいられなかった。その質問にレダは、「母親だし恋しくなったからよ。身勝手よね」と答え、「渡したいものがある」と言って、実はこっそりニーナの娘から盗んでいた人形を返そうとする。パニックになり、激昂するニーナにレダはひとこと「私母性がないの」と言うのだが、これがおそらく彼女の本音なのだろう。ただ、言葉は人間の内面をつねに裏切っている。もしレダに「母性」がなかったのなら、なぜ娘を恋しく思って戻ったりしたのだろうか。人間の複雑な感情は「母性」という言葉で割り切れるものではないことを、この物語は伝えている。

3. ミソジニーに抗する〈母〉のレジスタンス

『レイディ・スーザン』の主人公レイディ・スーザン・ヴァーノンは十六歳になるフレデリカの母親でありながら、四ヵ月前に夫に先立たれた女性で（まだ三十代半ばという設定）、経済的に決して豊かではない身の上である。レジナルド・ド・カーシーという男性をめぐり、スーザンとキャサリン・ヴァーノンという女性の間でバトルが繰り広げられるこの物語は、一見、自由奔放なスーザンと保守的な価値観を体現したキャサリン（レジナルドの姉でド・カーシー家の出身）との対決が主題であるように思われる。ちなみに、キャサリンがスーザンと同じヴァーノン姓を名乗っているのは、前者がスーザンの今は亡き夫の弟と結婚した義理の妹でもあるからだ。また、レジナルドをめぐって娘フレデリカが母と競合するため、母娘の対立が前景化されてもいる。スーザンは、フレデリカとサー・ジェイムズ・マーティンという男性を結婚させようとする一方で、自身はフレデリカが夢中になっているレジナルドにも恋を仕掛けている。最終的に娘がレジナルドと結ばれ、スーザンはサー・ジェイムズと結婚してしまう。

惣谷は、スーザンが「予め娘の相手と定めていたその青年と首尾よく結婚する」ことについて、「彼女は成功者なのか。それとも落伍者なのか」という問いを立てている。しかし、この惣谷の問題意識こそ、小説の根幹にあるミソジニー批判を見過ごしている。確かに、惣谷自身も主張するように、この小説の主題は「若い恋人たちの愛の勝利」でも、「レイディ・スーザンとレジナルドとの恋愛の駆け引きでさえもない」（『オースティン『レイディ・スーザン』、一九二頁)。ここまでは筆者も同意する。だが、彼女がこの物語を「二人の女性の戦いのまさしく道具として」レジナルドやフレデリカが登場すると論じているところに、大きな見落としがあると思わずにいられない。家父長的なミソジニーを内面化する登場人物たちの複雑な感情構造を描くことに長けたオースティンが、わざわざ母娘の物語を書いていながら、その主題が単純に〈女性間の戦い〉であろうはずがない。

うっかり見過ごしてしまいそうになるが、まず、レジナルドが冒頭でまだ会ったこともないスーザンを中傷し、扱き下ろした〈女ぎらい〉にあふれる手紙を書いている事実は見逃せないだろう。女性が「母性のアンビバレンス」から逃れられないのは、そもそもレジナルドをはじめとする「世間」がスーザンのような自分の欲望に忠実な女を許さないからだ。そして、その規範を形成するのが次のようなレジナルドの悪意ある言葉である。

あの女は、たいていの人間を満足させるような罪のない類いの媚に留まらず、一つの家族をことごとく悲惨のどん底に突き落とすような、さらに甘美な喜悦にまで手を広げていることがわかります。(中略)現在、この近所に越してきておられるスミス氏とかいう人物から、この間の事情はすべて聞きました——(スミス氏とは、ハーストやウィルフォードでともに食事したことがあるのです)——彼はラングフォードからやってきたばかりなのですが、そのラングフォードでは、あの女と同じ屋敷に二週間滞在しており、話を伝える資格は十分にあろうというものです。[*10]

レジナルドは、姉であるキャサリンに宛ててこのようにしたため、スーザンの「邪悪な力」を一度会って確かめてみたいとさえ書いている（同、二〇頁）。スーザンがレジナルドと出会ってみると、勘の鋭い彼女は彼の「ある種の生意気さというか、馴れ馴れしさ」を直観し、「思い知らせてやるつもりでおります」と親友のアリシア・ジョンソンに宛てて書いている。これはミソジニスト——あるいはミソジニーに満ちた「世間」——を成敗する〈母〉の宣戦布告なのである。

物語はスーザンが予告した通りに進んでいく。つまり「私がいかに優れているかを認めさせ、傲慢な魂を征服してやる」という予告である（同、三三頁）。スーザンに直接会って話したレジナルドは、あっという間に彼女の虜になる。そのことは彼の姉であるキャサリンが母親のド・カーシー令夫人に宛てて次のように報告していることからも分かる。「弟〔レジナルド〕に対するあの女の支配力は、今となっては測り知れないものになっているはずです。弟が以前、抱いていた悪感情を〔スーザンは〕すっかり拭い去」ってしまった（同、四四〜四五頁）。レジナルドの父親であるサー・ド・カーシーも心配して、もしやすでにスーザンと結婚しているのではないか、「レイディ・スーザンに対するお前の偏愛は、お前の身近かな者たちにとってすでに公然のものとなっている」と息子に書き送っている

（同、五〇頁）。

レジナルドが父親に宛てた返信（第十四信）においては、スーザンを結婚相手としてはまだ見ていないと書かれているが、彼女への敬愛の気持ちははっきりと伝えられている。スーザンに関する世間のゴシップを訂正し、彼女を擁護する立場から次のように綴っている。「今では私は、世間があの女についていかに心ない中傷をしたか確信しております。レイディ・スーザンへの偏見を駆り立てるような、チャールズ・スミスの根も葉もない扱き下ろしをいとも簡単に信じ込んでいたのです。自責の念を禁じ得ません。マナリング夫人の嫉妬についてはことごとく彼自身のでっち上げです」（同、五六頁）。レジナルドは、スーザンの「磨き抜かれた感性」を称賛しながら（同、五五頁）、彼女が悪女として語られている背景には、そもそも世間が彼女のそういうイメージを構築しているからだと、擁護している。「どんなに公正な性格であったとしても中傷の悪意を逃れることなどできはしない」上、「まして社交界で誘惑に取り囲まれて暮らしている人間」などは「誤りを犯しても仕方がないと、スーザンに向けられる「心ない中傷」の背景を丁寧に説明している（同、五六頁）。

スーザン自身が誇る言葉の巧みさによって、レジナルドの彼女への偏見が拭い去られ、さらには世間に批判されていた〈母〉としてのスーザンも高く評価するようになる。キャサリンは、スーザンがフレデリカの母親として相応しくないと考えているため、彼女が娘をロンドンの私塾（プライベート・スクール）に入れると聞くやいなや、「母親〔スーザン〕から離される」ことは、娘にとって「ためになるに違いありません」と結論づけた。そのことについてもレジナルドは、「母親としてもあの女は立派です。教育が適切に施される庇護の下にお嬢さんを託したことにも、お嬢さんへの揺ぎない愛情は、はっきり表われています」（同、五七頁）とスーザンを擁護するようになる。

レジナルドの激しい改心ぶりが、もしスーザンの人間的魅力と「雄弁の才」（同、六四頁）の効果であるなら、彼女の「能力」、今でいうところの「コミュ力」の作用は偉大である。『レイディ・スーザン』が、家父長的ミソジニーを駆逐するための物語であるとすれば、この小説における仮想敵は、レジナルドや彼の父親、そしてキャサリンのような保守的な登場人物だけではない。なぜならフレデリカの母親としてのスーザンに失格の烙印を押すのは、このような人々を取り巻く「世間」であるからだ。彼らの言葉は直接スーザンに向けられることはない。スーザンを中傷する言葉は、キャサリンやド・カーシー家の人々、彼らの友人たち、そして広く社交界のあいだで流通し続けるのである。スーザンの、娘への愛情がないものとされるとき、そこには言葉の暴力がある。

レイディ・スーザンが相も変わらず、手厳しいことであり、フレデリカが、口にこそ出さないものの、ひどく気落ちしているということです。そうしたことから察して、

あの人は娘を本当に愛してはいないし、また愛情をもって接してやったこともないのだと、私はいままで通り信じるようになっております。（同、六八頁、太字は筆者）

キャサリンはこのような言葉によって、世間を味方に引き入れ、型にはまらない生き方を選ぶスーザンを〈矯正〉しようとするのだが、それはヴァージニア・ウルフの言葉でいうところの「直立人」的な干渉に近いともいえる。スーザンを敵視するのは、何不自由なく生活できている裕福な人々である。世間はよかれと思ってスーザンを教育・矯正しにかかるのだが、それはあくまで間違った「利他」でしかない。12章では、チャールズ・ディケンズの『ニコラス・ニクルビー』に登場するスクィアーズ夫人の誤った「利他」について触れたが、まさにキャサリンのフレデリカに対する過剰なまでの愛情の表明は、自分本意の「利他」にほかならない。「以前にも増してあの娘を放ったらかしにして」いるとスーザンを非難しながら、「なるだけ私〔キャサリン〕の身近かにいさせて、その臆病さを克服するようなにくれとなく骨を折ってき」たと彼女の母親のド・カーシー令夫人に誇らしげに報告している（同、七二頁）。それがスーザンにとっては迷惑でしかないとしても、キャサリンにとっては善行なのだ。

それにしても、なぜスーザンが批判の対象になるのに、彼女の娘のフレデリカはキャサリンに受け入れられるのか。それは、フレデリカが自己主張をせず、従順な性質を備えているからだろう。少なくとも、従順な素振りをしている。彼女は、男性の〈マンスプレイニング〉に対しても好意を持つタイプの女性である。「レジナルドがなんであれ、おもしろいことをいうと、あの娘の表情はいつもぱっと微笑に輝きます。そしてすっかり真に受けて、いつまでも耳を傾けている」。そんなフレデリカをキャサリンは愛おしいと感じている（同、七一頁）。すなわち、キャサリンは家父長的なミソジニーを内面化した抑圧された女性であり、のちに明らかになるように、レジナルドもまた結局は世間の噂によってスーザンを判断する男性である。

この小説の見せ場は、男女の恋愛物語がどのように結実するかではなく、スーザンが胸のすくような言葉を畳みかけ、偏狭な価値観に縛られた人間の鼻を明かす場面である。サー・ジェイムズと結婚させられることを嫌がったフレデリカがレジナルドに助けを求めたことで、問題が大きくなるが、スーザンは次のような見事な弁明で乗り切っている。

他ならぬ自分の子どもを悲惨にすることが私の目的だなんて。そして、あなた方が私のその悪魔のような企てを妨害するのではないかと恐れて、娘の口を封じただなんて。私のことを、素直な感情や自然の情のない、血も涙もない人間だと思っていらっしゃるのですか。娘をもっと幸福にしてやることが、私のまずなすべき世間の務めですのに。その娘を、いつ果てるともない悲惨な状態に委ねるなんてことが私にできる

でしょうか（同、一〇七〜一〇八頁）

「娘をもっと幸福にしてやることが、私のまずなすべき世間の務めですのに」と言い放つスーザンは、世間に認められるような理想の母親を偽装しながら、その実、本心ではその価値観に抗っている。キャサリンが悔しい思いをするのは、スーザンのその演技が透けて見えるからであるが、彼女が言葉にしていることがキャサリンにとっては正当なだけに、反論ができず、それが表面的であったとしても「世間の務め」を果たす〈母〉の言説に見事に無力化されてしまうのだ。また、最後にスーザンの演技を見破ったとするレジナルドの手紙からは優越感に満ちた態度がうかがえるが（同、一四六〜一四七頁）、彼女にしてみれば、彼との関係はあくまで「火遊び」なのだ。レジナルドは「高慢の生きた見本」であり、「許すわけにはいい」かないのであって（同、一一六頁）、スーザンの恋愛対象ですらない。娘のフレデリカの、レジナルドに対する「ロマンティックな戯言なんか、頭から水をかけて冷やしてやるのが確かに私の義務」であるとさえ言っている（同、一一七頁）。

オースティンが生きた時代は、スーザンのように後ろ盾をなくしたシングルマザーがサバイブするのはきわめて困難であったはずだ。オースティンのように作家としての才能があるなら別であるが（彼女の場合でも兄弟の支援が必要だった）、家庭の外で働いて経済的自立を勝ち取る可能性が奪われていた女性は条件のよい結婚をする以外に道はなかった。恋愛の駆け引きを生き残る手段としたスーザンの立場は擁護されてしかるべきだが、世間は彼女のような社会的弱者を「邪悪な女」として吊るしあげた。すなわち、『レイディ・スーザン』はそういう世間に対する〈母〉の叛逆の物語であり、異性愛中心のロマンティックな「筋書き」に痛烈な批判を加えることが目的でもある。このような穏やかでないフェミニスト小説というのは、ヴィクトリア時代の読者にとってはインパクトが大きかったにちがいない。その証拠に、オースティンが存命中に『レイディ・スーザン』が出版されることはなかった。また、甥であるJ・E・オースティン＝リーも一八七一年にこの作品を出版するにあたっては、これが作家の幼稚な物語にすぎないこと、作品としては未熟であることをわざわざ断っている。[*11]

家父長的な社会においては、「望むと望まざるとにかかわらず、家族を形成したとたんに権力を手に入れてしまう男性（夫・父）には、暴力防止の責任が発生する」ように、母親にも「子どもを産んだとたんに法外な権力を手に入れる」ことによって「同様の責任が発生する」。[*12] 信田さよ子が述べるように、「家族ほど力関係が渦巻き、支配をめぐる暗闘が繰り広げられる世界はないのだ」（『家族と国家は共謀する』、九頁）。彼女は男女不平等の是正の可能性を「近代家族を支えるロマンティックラブイデオロギーの解体」にみいだしている。「愛と性と生殖の三位一体説の一角を崩していくこと」こそ、近代家族の基本そのものを問い直す方法論ともなる（同、七四頁）。『レイディ・スーザン』が映画化されたときに日本では黙殺されたことも、この作品の邦訳が（他のオースティン作品は何度も邦訳されているのに対して）長年絶版となっていることも、この社会の隅々にまで貫徹した家族の構造を浮かび上がらせるとはいえないだろうか。

のちに恋愛小説の大家となるオースティンが、『レイディ・スーザン』においては恋愛ではない家族の支配関係というテーマに向き合っていたのだ。レジナルドが最後、スーザンに当てつけのように送る手紙には、小説冒頭で綴られるミソジニーが繰り返されている。「私自身の愚かさゆえに危ない目に遭いはしましたが、無事でいられたのは、また他の人の親切と誠実さのおかげです」と書かれており、結局、彼自身には観察眼がないことが明らかになる（『オースティン『レイディ・スーザン』』、一四七頁）。レジナルドは、「他の人」、つまりは世間の言葉によってでしか相手の、すなわちスーザンの価値を見極めることができない、信念のない人物であり、彼だからこそ従順を絵にかいたようなフレデリカの結婚相手としてはお似合いなのである。

オースティンが見事なのは、そのテーマ設定にかぎらない。彼女の語りの技巧と組み合わせることで、狡猾なミソジニストたちの醜悪さを描きながら、スーザンの言葉の巧みさを際立たせることに成功している。円熟期の作品が、第三者の語りの視点から離れることなく、キャラクターの心や感情に滑り込むことが特徴的な自由間接話法を生かしているとすれば、『レイディ・スーザン』は、書簡文体の性質を存分に生かした創作になっている。

すなわちこの小説では、第三者の語りとは異なり、書簡の主観的視座（相手を心理的に操作しようとする主観も含め）が媒介なしに読者に届く文体になっている。そのため、スーザンが〈母〉なるものを対外的に演じて社会の規範に従っているよう偽装しながら、その実、性規範自体を根幹から揺さぶっていることも暴露しているのだ。

母親が抱え込む葛藤、ミソジニーに取り込まれまいとする母親の闘いなどが不可視化されてきたのは、言葉にすることがはばかられる、つまりタブー視されるテーマだからである。ドーナトやギレンホールは、そのタブーに果敢に挑戦した。ドーナトは母親がどのような葛藤のなかで生きているのかを明らかにするために、後悔していると答えた女性の意識調査を丹念に行った。ギレンホールは自己実現と子育てに板挟みになる多くの女性が共感するような物語を映画化し、〈母性〉の神格化に疑問を突きつけている。規範から逸脱する女性には声が与えられてこなかったが、もし母性のアンビバレンスの苦しみに形を与えるとすればどうだろうか。さながらシーシュポスのように大きな岩を山頂に押して運ぶという罰を背負い続けるような不条理を味わう感覚だろうか。13章で論じたポストフォーディズム的な柔軟な「対応力」は、ますます女性によるケア実践として求められている。それは家庭内、公共圏の両方の領域で見られる傾向だ。

オースティンが描いた、知的で「雄弁の才」にも恵まれたスーザンがもし二一世紀に生きていたら、どのような職業に就き、どのような活躍を見せただろうかと想像してみるが、やはり彼女もレダやニーナ、あるいは有働と同じような葛藤を抱えたのではないだろうかとも思う。女性が活躍の場を広げる現代でも、日本では特に〈母性〉の抑圧が隅々まで行き届いている。だからかえって二百年以上前に書かれた『レイディ・スーザン』のヒロインの、胸のすくような言葉にエンパワーされる女性も少なくないはずだ。オースティンのこの物語では、信田の言葉を借りれば、強者の権力に対する、弱者の「レジスタンス」という力(パワー)をヒロインに与えている。奇しくも、この言葉はキャロル・ギリガンがアンネ・フランクの日記分析を行った本のタイトルにも用いられている（*Joining the Resistance*）。「レジスタンス」の重要性を強調する信田によれば、女性の即応力や柔軟性を現代社会の文脈では「レジリエンス」と捉えられる。苛烈な自己責任の時代を生きる女性たちに向けられる声とは回復せよ、立ち直れ（レジリエントであれ）という、対応力を求める声である。女性が「一人の生きた人間として扱われない」のは、「女性を性的存在としてとらえる」ことがあまりに多いということもあるだろう。あるいは、ケア提供者としてしか見ないのかもしれない。「まさにレジスタンスとは、受けた衝撃に人間としてそれをどう認識し、どう対処し、強いられた変化に抗して（抵抗して）昨日と同じ日常を生きるか、他の人と同じ人間として生きるかということを表しているのではないか」（『家族と国家は共謀する』、二二四〜二二五頁）。偶像化されがちな〈母〉を「一人の生きた人間として」

捉え直すことができるなら、一見奇妙に思えるような行動をとるスーザンの、あるいはレダたちの生き様にも共感するのではないだろうか。筆者は、世間の言葉の暴力に深く傷つきながらも、人間の尊厳を捨てずに闘う女性たちのレジスタンスを心から擁護する。

あとがき――ケアと惑星的思考

わたしは惑星（planet）という言葉を地球（globe）という言葉への重ね書きとして提案する。グローバリゼーション〔地球全域化〕とは、同一の為替システムを地球上のいたるところに押しつけることを意味している。わたしたちは現在、電子化された資本の格子状配列のうちに、緯度線と経度線で覆われた抽象的な球体をつくりあげている。（ガーヤットリー・スピヴァク『ある学問の死』上村忠男、鈴木聡訳、みすず書房、二〇〇四年、一二三頁）

これは、人文学に携わる者であれば、心して読まなければならない批評家の一人ガーヤットリー・スピヴァクの言葉である。編集長である戸井武史さんから「ケアする惑星」という新たな群像連載のお題をいただいたときに思い出した一節である。スピヴァクによれば、「グローバリゼーション」（globalization）という言葉が資本主義の経済活動を刺激するものであるとするなら、「プラネタリー（惑星的）」（planetary）な思考は、「他者へと関心をさし向けている」、より「人間らしくある」ことを基盤としたものである。なぜ人間らしいかというと、「惑星は種々の他なるもの（alterity）のなかに存在して」いるからである（同、一二四頁）。

　スピヴァクの「プラネタリー」な思考のことなど知らなかった十代の自分の記憶を辿れば、まだそのころは「グローバリゼーション」という言葉を何か輝かしいものであるかのように思っていた。私が初めて日本を飛び出して長期間海外生活を送ることになったのは、ロータリー財団の留学生に選ばれ、渡英した高校二年生のときである。一九八〇年代であったが、すでにグローバリゼーションの波は日本に押し寄せてきていた。七〇年代に日本初の女性国連公使になっていた緒方貞子さんのような女性――英語を自在に話し、国際的に活躍する女性――に漠然と憧れの気持ちを抱いていただけで、「グローバリゼーション」と「プラネタリー」な思考の違いがよく分からなかった。もちろん、今なら緒方さんが「他者へと関心をさし向ける」、すなわち、真にプラネタリーな視座に立ってケア実践を行なっていた人であったことは分かるのだが。

　イギリスで現地の高校に通いながら生活をするなかで、自分が「他者」になるということを経験して、ようやく「他者へと関心をさし向ける」というケアの価値にも気づけたように思う。当時のサフォーク州のベリー・セント・エドモンズという町には、東洋からきた留学生などほとんどいなかった。見た目も、話す言葉も、何もかも違う自分が奇異の目に晒されることがどういうことかを痛感していた。どこに行っても東洋人であることが珍しがられ、「あなた中国人?」と尋ねられる。そういったイギリス人の言葉の背後には、無自覚な西洋中心主義があり、英語が世界を動かしているという自負があった。周りのみんなが何を言っているかわからない。一人だけ笑いについていけない。文字通り、地球の反対側の国で暮らしてみて、ようやく「他者」にはケアが届きにくいということを諒解した。

ただ、そんな私に対して、人間らしい接し方をしてくれた友人たちがいた。トランペットを得意とする友人は私のピアノと合奏をしたいと申し出てくれ、おかげでコンサートに出て注目を浴び、他の生徒たちとも打ち解けることができた。また、メイクの上手な友人は、放課後、彼女の家に招いて、アイシャドーと口紅の塗り方を教えてくれた——実はメイクには興味はなかったが（今もあまりないが）、その気持ちが嬉しかった。私がメイクをすることで学校の仲間ともっと親しくなれると思っての心遣いだったのかもしれないと、最近ケアについて考え始めてからようやく気づいた。私のことを同じ人間として見てくれた、こういう友人たちのケア精神のおかげで、心が折れずに生き延びることができた。イギリス人にとっては他者である「日本人」の自分と、イギリス人と同じように考えたり行動したりできる「人間」としての自分。この二重性、複数性を受け入れることができるようになって、ようやくスピヴァクのいう惑星的思考とそのケアの恩恵が五臓六腑に染み渡った。

わたしは、わたしが形成することができないでいる、ぜひとも形成されなければならない結びつきがいくつも存在しているのだな、という思いをもちつづけている。（中略）わたしにもまだわかっていない仕方で、必要でありながら不可能な惑星的あり方を想像することを、複数化は可能にしてくれるのではないかと感じられるのだ。（『ある学問の死』、一五六頁）

惑星的なあり方や考え方は真の友愛を意味する。ただそれは「不可能」であるかもしれない。はたして「ロゴス中心的＝兄弟中心的な集合体の概念を前提とせずに、機能しうるものなのか」という問いもあるだろう（同、五一頁）。しかし、スピヴァクがいうように「日常的で、親密なもの」は――そしてそれは「資本主義にとっては欠陥のあるものでしかない」が――その可能性を生み出すことができる（同、五二～五三頁）。スピヴァクはこの可能性を、「フィクションの形式によって書くこと」のなかに見いだした（同、五二頁）。スピヴァクは、イギリスの作家ヴァージニア・ウルフが『自分だけの部屋』で示したように、「わたしの口からは作りごとがつぎからつぎへと流れ出てくるでしょうが、おそらく、真実もいくらか混じっているでしょう。その真実を見つけ出し、そのどの部分が保存に値するかどうかを決定するのは、あなたがたなのです」というウルフの言葉を引用している

（同、六六頁）。すなわち、文学を読む私たちがその思考力を試されているということなのだろう。

ケアが貶められている今の新自由主義社会で人々が生きづらさを克服できるようになるために、この惑星全体がケアする人を慈しむようになりますように。本書はその願いとともに書かれた。私の専門領域であるイギリス文学を中心とした様々な文学作品を読むことを通じて惑星的思考を実践するというのが本書の趣旨であるが、少しでも「ケアする惑星」を具体的に考える手がかりとなれば幸いである。「他なるもの」は、「わたしたちを放擲するとともに内包してもいる」。だから、「他なるものについて考えるということは、すでにして、境界を逸脱／侵犯している（transgress）」（同、一二五頁）。文学的想像力によって、時代的にも空間的にも遠く離れた他者、あるいは近くにいるが理解できない他者が、自分と同じ「人間」なのだという認識（＝境界逸脱の認識）に触れることができれば幸いである。

1章では、アンネ・フランクと彼女のケアラーであった母エーディトの物語を掘り起こした。2章では、帝国主義や他者を排除する思想に抗おうとしたウルフの小説『波』（森山恵訳）を分析した。ウルフは働く女性が〝自分らしく〟あろうとするのを邪魔する〈家庭の天使〉について語っているが、3章では、職業（プロフェッション）を持つ女性、とりわけ女性オリンピック選手たちの例を挙げながら、他者をケアしすぎることの弊害についても考えた。4

章と5章では、精神病患者に寄り添ったフロイトと、彼と親しかったウルフの共鳴し合う思想、そしてウルフ自身のトラウマについても書いた。6章では、男性稼ぎ手モデルが支配的な日本と男女格差が最も少ないとされるアイスランドにおける女性の性役割（特に家事の位置づけ）を比較しながら、ケアの価値を高めることの意義について論じた。7章は「語りの複数性」という展覧会が見事に体現していた複数の「声」、そしてその複数性によって他者に開いていく可能性を掘り下げた。8章と9章では、高瀬隼子の『おいしいごはんが食べられますように』などに描かれる「強さ」と「弱さ」について論じながら、旧来の男性性とも結びつく「適者生存」やミソジニーの意識についても触れた。これに関連して浮上するのが、ケアをめぐる問いである。他者を犠牲にしない、傷つけない方法で共生の可能性を探ることはできないだろうか――これこそが、キャロル・ギリガンが『もうひとつの声で』で訴えた〈ケアの倫理〉であった。これが、10章から14章までの議論を駆動させる問いとなっている。これらの章では、フィクションにおいて、人と人が競合するのではなく、連帯、共生する可能性を描き出したオスカー・ワイルド、ルイス・キャロル、チャールズ・ディケンズ、ウォルター・スコット、ジェイン・オースティンらの文学作品を取り上げた。ケアをめぐる問いはまさに現代社会を生きる私たちのアクチュアルな問題でもあり、最近では、ネットフリックスの映画やドラマにもリアルに描かれている。文学作品に登場するヒーローやヒロインたちが直面する問題を「自分ごと」として考えながら、想像力を逞しくしていく。その実践こそが惑星的視座を持ち、ケアの精神を育てていくことに繋がるのだと信じたい。

『群像』にケアのテーマで連載を書く機会を与えてくださった戸井編集長、毎回細やかな編集作業をしながら、寄り添ってくださった連載担当者の大西咲希さん、ありがとうございました。『ケアの倫理とエンパワメント』の書籍化でもお世話になった堀沢加奈さんに、今回も丁寧に見ていただき、感謝しています。また膨大な出典の確認に時間と労力を費やしてくださった校閲の方々、装幀を担当くださった川名潤さんにも感謝いたします。〈ケアの倫理〉の研究を長年続けながら、海外の文献を日本の読者のために翻訳するという多大な貢献をされている岡野八代先生には心から敬服するとともに、ケアする人たちへの想像力、フェミニズムがケアと結びつくことの重要性についていつも教えていただき、心からお礼の気持ちを伝えたいです。また、今回の連載でも数多くの評論や優れた研究書（翻訳）からインスピレーションを得ることができました。なかでも、キャロル・ギリガン『もうひとつの声で　心理学の理論とケアの倫理』（川本隆史、山辺恵理子、米典子訳、風行社、二〇二二年）、中島岳志『思いがけず利他』（ミシマ社、二〇二一年）、河野真太郎『新しい声を聞くぼくたち』、オルナ・ドーナト『母親になって後悔してる』（鹿田昌美訳）、信田さよ子『家族と国家は共謀する』といった著書から新しい視点を学ばせていただきました。ここには書ききれないほど多くの本に触れて、こうした言葉の糧を得ることができました。

翻訳者、批評家、研究者の方々の貢献に感謝しています。また、「他なるもの」への想像力を喚起してくれたのは、数年前から難病に罹っている母です。連載で取り上げた文学作品のほとんどについて母と対話し、そのたびに文学の言葉に秘められた力に気づかされました。いつも感謝しています。最後になりましたが、連載中から読んで励ましの言葉をくださった方々にも心からお礼を申し上げます。

二〇二二年一二月

小川公代

註

1章 〝ケアする人〟を擁護する

*1　ジェイン・オースティン『エマ』（阿部知二訳、中央公論社、一九九七年）、三六三頁。

*2　ジャーメイン・グリア『更年期の真実』（寺澤恵美子、山本博子訳、パンドラ発行、現代書館発売、二〇〇五年）、三八頁。

*3　品田知美「自分のことが嫌いな母親たちへ。子どものためにも自分を愛して」、『不登校新聞』（二〇二一年五月三十一日）。https://futoko.publishers.fm/article/24189/

*4　ファビエンヌ・ブルジェール『ケアの倫理――ネオリベラリズムへの反論』（原山哲、山下りえ子訳、白水社、二〇一四年）、二八頁。

*5　黒川万千代『アンネ・フランク――その15年の生涯』（合同出版、二〇〇九年）、一二五頁。

*6　深町眞理子「この本について」、アンネ・フランク『アンネの日記　増補新訂版』（深町眞理子訳、文春文庫、二〇〇三年）、三〜四頁。

*7　アンネにかぎらず、思春期の少女たちのこのような葛藤はフロイトによる『ヒステリー研究』（一八九五年）ですでに明記されているとギリガンは主張する。

*8　Carol Gilligan, *Joining the Resistance*, Malden: Polity, 2011, p.105.

*9　オットーの知り合いのイーサ・カウフェルンの夫で劇作家のアルベルト・カウフェルンも編集に関わっていた。ヘロルト・ファン・デル・ストローム「『隠れ家』の出版と各国語への翻訳」、オランダ国立戦時資料研究所編『アンネの日記――研究版』（深町眞理

子訳、文藝春秋、一九九四年）、七一頁。

*10 もちろんこれらの削除や修正はすべてオットーが行ったことではなく、この感情が父一人のものでなく、編集に関わった男性たちにも共有されていた可能性も考慮する必要はあるだろう。

*11 小川洋子『アンネ・フランクの記憶』（角川書店、一九九五年）、一三頁。

*12 アンネ・フランク「アンネ・フランクの日記」、オランダ国立戦時資料研究所編『アンネの日記――研究版』、六〇五～六〇七頁。

*13 深町眞理子「この本について」、アンネ・フランク『アンネの日記　増補新訂版』、五頁。

*14 アンネ・フランク『アンネの日記　増補新訂版』、九三頁。

2章　エゴイズムに抗する

*1 ヴァージニア・ウルフ『三ギニー――戦争と女性』（出淵敬子訳、みすず書房、二〇〇六年）、一六二頁。

*2 Melissa Müller, *Anne Frank: The Biography*, London: Bloomsbury, 2013, p.122.

*3 二〇二〇年八月時点で世界一九三ヵ国中一六六位。菅義偉内閣の閣僚二十人のうち女性はわずか二人。中村かさね「女性議員の割合が世界166位の日本。女性議員を増やすには？ 石破茂氏、菅義偉氏、岸田文雄氏の回答は」（ハフィントンポスト、二〇二〇年九月十日）https://www.huffingtonpost.jp/entry/story_jp_5f588e32c5b67602f5fe4043

*4 NHKニュース「菅首相 国民投票法改正案の早期成立を 憲法改正立場の集会で」（二

○二一年五月三日）https://www3.nhk.or.jp/news/html/20210503/k10013011461000.html

＊5 たとえば、フロイトは女性は男性より自我境界が「弱い」と考えた。また、ロバート・ストラーは、男性の発達には必ず「より顕著な個別化と、自我の境界のより防衛的な固定化経験」がともなうと指摘している。キャロル・ギリガン『もうひとつの声で　心理学の理論とケアの倫理』（川本隆史、山辺恵理子、米典子訳、風行社、二〇二二年）、六四頁。

＊6 ウルフ作品の新訳も次々と刊行されている。早川書房が作成したｎｏｔｅのウェブサイトで「病気になるということ」（片山亜紀訳）が発表され、『ある協会』（片山亜紀訳、エトセトラブックス）や『波』（森山恵訳、早川書房）などの邦訳も刊行された。

＊7 Allison Pease, Boredom and Individualism in Virginia Woolf's The Voyage Out, in *Virginia Woolf Critical and Primary Sources Vol.4 2005-2014*, Gill Lowe ed., London: Bloomsbury, 2020, p.215.

＊8 ヴァージニア・ウルフ『船出』（上）（川西進訳、岩波文庫、二〇一七年）、二六八頁。

＊9 ウルフ自身の兄で、若くして亡くなったトビー（Thoby Stephen, 1880-1906）がモデルと言われている。

＊10 ヴァージニア・ウルフ『波』（森山恵訳、早川書房、二〇二一年）、三二〇頁。

＊11 Edward Carpenter, *The Intermediate Sex: A Study of Some Transitional Types of Men and Women*, London: Swan Sonnenschein & Co., 1908, p.9.

＊12 Plato, *The Symposium*, Walter Hamilton trans., London: Penguin, 1976.

＊13 フェリックス・ギラン『ギリシア神話　新装版』（中島健訳、青土社、一九九一年）

*14 マイケル・ウィットワース『ヴァージニア・ウルフ　時代のなかの作家たち2』（窪田憲子訳、彩流社、二〇一一年）、二七七頁。

*15 ジェイムズ・ジーンズ『神秘な宇宙』（鈴木敬信訳、岩波新書、一九三八年）、一頁。原著では、"This vast multitude of stars are wandering about in space. A few form groups which journey in company, but the majority are solitary travellers."となっている。James Jeans, *The Mysterious Universe*, Vesselin Petkov ed., Montreal: Minkowski Institute Press, 2020, p.1.

*16 他にも、ドイツのアンゲラ・メルケル首相、フィンランドのサンナ・マリン首相、アイスランドのカトリーン・ヤコブスドッティル首相（いずれも当時）らがいる。岡本純子「「女性リーダーの国」がコロナを抑え込む理由」（東洋経済オンライン、二〇二〇年五月二日）https://toyokeizai.net/articles/-/347146

3章　オリンピックと性規範

*1 ケア・コレクティヴ『ケア宣言――相互依存の政治へ』（岡野八代、冨岡薫、武田宏子訳、大月書店、二〇二一年）、八一～八三頁。

*2 内閣府男女共同参画局「男女別に見た生活時間（週全体平均）（1日当たり、国際比較）」https://www.gender.go.jp/about_danjo/whitepaper/r02/zentai/html/zuhyo/zuhyo01-c01-01.html

*3 FACTSHEET: WOMEN IN THE OLYMPIC MOVEMENT UPDATE – JUNE 2020. https://stillmed.olympic.org/media/Document%20Library/OlympicOrg/Factsheets-

Reference-Documents/Women-in-the-Olympic-Movement/Factsheet-Women-in-the-Olympic-Movement.pdf

*4 Virginia Woolf, Professions for Women, *Selected Essays*, Oxford: Oxford University Press, 2008, p.141.

*5 「オナ・カルボネル：「スポーツ界での出産はタブートピック」」 https://olympics.com/ja/video/ona-carbonell-maternity-sport-taboo-topic-interview

*6 Johnny Diaz, The Spanish swimmer Ona Carbonell says she is disappointed to leave her breastfeeding son at home, *The New York Times*, July 21, 2021. updated July 24, 2021. https://www.nytimes.com/2021/07/21/us/ona-carbonell-breastfeeding-olympics.html

*7 田中東子「大坂なおみ——政治的発言と勇敢さのゆくえ」、『アスリートたちが変えるスポーツと身体の未来　セクシュアリティ・技術・社会』（山本敦久編、岩波書店、二〇二二年）、五一頁。

*8 Emily Giambalvo, Simone Biles withdraws from women's gymnastics all-around final, *The Washington Post*, July 28, 2021. https://www.washingtonpost.com/sports/olympics/2021/07/28/simone-biles-withdraws-all-around-final-tokyo-olympics/

*9 ＣＮＮ「米体操女子バイルズが棄権、「心の健康」理由に」（二〇二一年七月二十八日） https://www.cnn.co.jp/showbiz/35174445.html

*10 日刊スポーツ「体操棄権のバイルズ　日本で禁止のＡＤＨＤ治療薬を特例で認可されていた」（二〇二一年八月一日） https://news.yahoo.co.jp/articles/167797f1bbd87e4a5de0306e1379a9ff4cdbf9c0

＊11　ヴァージニア・ウルフ『船出』（上）、七一頁。

＊12　レベッカ・ソルニット『説教したがる男たち』（ハーン小路恭子訳、左右社、二〇一八年）、一一九頁。

＊13　Women and the Olympic Games, *Digital Encyclopedia of European History*. https://ehne.fr/en/encyclopedia/themes/gender-and-europe/gendered-body/women-and-olympic-games

4章　ウルフとフロイトのケア思想　1

＊1　Stephen Wade, IOC's Bach slips up and refers to Japanese as 'Chinese', AP News, July 13, 2021. https://apnews.com/article/2020-tokyo-olympics-sports-health-coronavirus-pandemic-olympic-games-7229577a22b974c78e7415626ad334bc

＊2　Daryl Ogden, *The Language of the Eyes: Science, Sexuality, and Female Vision in English Literature and Culture, 1690-1927*, New York: State University of New York Press, 2006, p.182.

＊3　ヴァージニア・ウルフ『ある作家の日記』（神谷美恵子訳、みすず書房、一九七六年）、四五五頁。

＊4　John H. Willis, *Leonard and Virginia Woolf as Publishers: The Hogarth Press, 1917-41*, Charlottesville: University of Virginia Press, 1992, pp.297-328.

＊5　James Strachey and Alix Strachey, *Bloomsbury/Freud: The Letters of James and Alix Strachey*, Perry Meisel and Walter Kendrick eds., London: Chatto & Windus, 1986, p.264.

＊6　キャロル・ギリガン『もうひとつの声で　心理学の理論とケアの倫理』、六四頁。

＊7　Claudia Card, Gender and Moral Luck, p.81; Alison M. Jaggar, Caring as a Feminist Practice of Moral Reason, p.181, in *Justice and Care: Essential Readings in Feminist Ethics*, Virginia Held ed., Boulder: Westview Press, 1995.

＊8　ヴァージニア・ウルフ『ある作家の日記』（一九二二年九月六日）、七一頁。彼女と同じく「意識の流れ」で知られる同時代作家はジェイムズ・ジョイス（James Joyce, 1882-1941）であるが、ウルフ自身も彼の『ユリシーズ』を読んで部分的に批判はしながらも、「天才があるとは思う」と評価している。

＊9　Vara S. Neverow, Freudian Seduction and the Fallacies of Dictatorship, in *Virginia Woolf and Fascism: Resisting the Dictators' Seduction*, Merry M. Pawlowski ed., London: Palgrave Macmillan, 2001, p.59.

＊10　Michael H.Whitworth, *Virginia Woolf: Authors in Context*, Oxford: Oxford University Press, 2005, p.174.

＊11　Sanja Bahun, Woolf and Psychoanalytic Theory, in *Virginia Woolf in Context*, Bryony Randall and Jane Goldman eds., Cambridge: Cambridge University Press, 2012.

＊12　Janice Stewart, A Thoroughly Modern Melancholia: Virginia Woolf, Author, Daughter, *Woolf Studies Annual*, vol.16 (2010), p.134.

＊13　Virginia Woolf, Modern Fiction, *Selected Essays*, Oxford: Oxford University Press, 2008, p.11.

＊14　Hermione Lee, *Virginia Woolf*, London: Vintage Digital, 2010. 二回目は父レズリー・ス

ティーヴンが亡くなってすぐの一九〇四年、それから兄トビーの死など家族の問題が多発した一九一〇年、最後はレナードと結婚した直後の一九一二年から一九一五年にかけてである。

*15 四回目の発作はレナードとの結婚直後だったが、ある意味では、スティーヴン家との別離を意味する点で、ウルフにとっては「喪失」を体験したのだった。

*16 Gillian Gill, *Virginia Woolf and the Women Who Shaped Her World*, Boston and New York: Houghton Mifflin Harcourt, 2019, p.178.

*17 ジークムント・フロイト「喪とメランコリー」、『人はなぜ戦争をするのか　エロスとタナトス』（中山元訳、光文社古典新訳文庫、二〇〇八年）、一〇三〜一〇四頁。

*18 マイケル・ウィットワース『ヴァージニア・ウルフ　時代のなかの作家たち2』（窪田憲子訳、彩流社、二〇一一年）、二一八頁。

*19 ヴァージニア・ウルフ『ダロウェイ夫人』（近藤いね子訳、みすず書房、一九九九年）、二三七頁。

*20 近藤いね子「『ダロウェイ夫人』解説」、ヴァージニア・ウルフ『ダロウェイ夫人』、二五二頁。

*21 ヴァージニア・ウルフ『ある作家の日記』、九二頁。

*22 マイケル・ウィットワース『ヴァージニア・ウルフ』、二六〇頁。ウィットワースはこれをトラウマ的な経験から生じるフロイトの「戦争神経症」理論と関連づけている。関連の研究として、Beverly A. Schlack, A Freudian Look at Mrs Dalloway, *Literature and Psychology*, 23 (1973), pp.151-163. もある。

＊23　キャロル・ギリガン『もうひとつの声で』、六四頁。

5章　ウルフとフロイトのケア思想　2

＊1　ウルフがメンバーとして属していたブルームズベリー・グループのほぼ全員が「フロイトの理論に熱狂していた」とも言われているほど、精神分析の言説はウルフたちの日常に溶け込んでもいた。Vara S. Neverow, Freudian Seduction and the Fallacies of Dictatorship, in *Virginia Woolf and Fascism: Resisting the Dictators' Seduction*, Merry M. Pawlowski ed., London: Palgrave Macmillan, 2001, p.59.

＊2　北村婦美「精神分析とフェミニズム――その対立と融合の歴史」、『精神分析にとって女とは何か』（西見奈子編、福村出版、二〇二〇年）、三八頁。

＊3　ジークムント・フロイト「性理論のための三篇」（渡邉俊之訳）、『フロイト全集6　1901-06年』（岩波書店、二〇〇九年）、一八二頁。

＊4　James Strachey and Alix Strachey, *Bloomsbury/Freud: The Letters of James and Alix Strachey*, Perry Meisel and Walter Kendrick eds., London: Chatto & Windus, 1986, p.264.

＊5　キャロル・ギリガン『もうひとつの声で　心理学の理論とケアの倫理』、八二～八四頁。

＊6　ヴァージニア・ウルフ『ダロウェイ夫人』、二三七頁。

＊7　有賀美和子「イギリス女性学の諸相（その1）（批評と紹介）」、『東京女子大学紀要論集』四六巻、第一号（一九九五年）、一九五頁。

＊8　小川公代『ケアの倫理とエンパワメント』（講談社、二〇二一年）、三三～三四頁。

＊9　北村婦美「精神分析とフェミニズム――その対立と融合の歴史」、三三頁。

＊10　ヴァージニア・ウルフ「病気になるということ」②（片山亜紀訳、早川書房、二〇二〇年）https://www.hayakawabooks.com/n/n775c24379791

＊11　ヴァージニア・ウルフ「病気になるということ」③（片山亜紀訳、早川書房、二〇二〇年）https://www.hayakawabooks.com/n/n42f04683ddf

＊12　Barbara Lounsberry, *Virginia Woolf's Modernist Path: Her Middle Diaries & The Diaries She Read*, Gainesville: University Press of Florida, 2016, p.70.

＊13　彼は、ブルームズベリー・サークルの中では、リットン・ストレイチーと関係がある。ゲイであったストレイチーはパートリッジに魅了されていたが、結局パートリッジがフランシスという女性と結婚したことで、リットンの恋は成就しなかった。

＊14　Lounsberry, p.71.

＊15　Lounsberry, p.71.

＊16　Lounsberry, p.72.

＊17　ジャーン・シュルキンド「序」（外山弥生訳）、ヴァージニア・ウルフ『存在の瞬間　回想記』（みすず書房、一九八三年）、一〇頁。

＊18　これはフロイトの真骨頂でもある「愛」の欲動と「死」の欲動という対立としても知られる。ジークムント・フロイト「人はなぜ戦争をするのか」、『人はなぜ戦争をするのか　エロスとタナトス』、二四頁。このエッセイは、第一次大戦の悲劇を背景として綴られたことを考えても興味深い。

＊19　リットン・ストレイチーやE・M・フォースターは同性愛者であったが、前者は、同性愛をタブー視するヴィクトリア時代の思想や道徳を批判し、偶像破壊的な伝記を書い

た。そして後者は、生前出版されなかったが、同性愛や階級差を主題とした『モーリス』を書いた。キャロリン・ハイルブラン、およびナンシー・トッピング・ベイジン『ヴァージニア・ウルフと両性具有のヴィジョン』の書評、『ニューヨーク・タイムズ・ブック・レビュー』(一九七三年四月十五日号)。エレイン・ショウォールター『女性自身の文学　ブロンテからレッシングまで』(川本静子、岡村直美、鷲見八重子、窪田憲子訳、みすず書房、一九九三年)、二四一頁。

*20　網谷優司「フロイト理論におけるエディプスコンプレックス概念の形成と変遷」、『研究報告』第三四号(京都大学大学院独文研究室、二〇二一年)、三一頁。

6章　ネガティヴ・ケイパビリティ

*1　シャーロット・ブロンテ『ジェイン・エア』(吉田健一訳、集英社文庫、一九七九年)、三二三〜三二五頁。

*2　ヴァージニア・ウルフ『ダロウェイ夫人』、三頁。

*3　The 1975 Women's Strike: When 90% of Icelandic women went on strike to protest gender inequality, *Iceland Magazine*, October 24, 2018. https://icelandmag.is/article/1975-womens-strike-when-90-icelandic-women-went-strike-protest-gender-inequality

*4　岡野八代「「見えない家事」の存在を無視しつづける「日本の社会と政治」、その致命的な欠陥」(現代ビジネス、二〇二一年七月二十一日) https://gendai.ismedia.jp/articles/-/85178

*5 Joan C. Tronto, Women and Caring: What Can Feminists Learn About Morality from Caring?, in *Justice and Care: Essential Readings in Feminist Ethics*, Virginia Held ed., Boulder: Westview Press, 1995, pp.102-104.

*6 筒井淳也「なぜ日本では「共働き社会」へのシフトがこんなにも進まないのか?」（現代ビジネス、二〇一六年九月二日）https://gendai.ismedia.jp/articles/-/49532

*7 Sawaji Osamu「日本の高齢社会対策」（HIGHLIGHTING Japan、二〇二一年二月）https://www.gov-online.go.jp/eng/publicity/book/hlj/html/202102/202102_09_jp.html

*8 マイナビ「ミドルシニア／シニア層の就労者実態調査（２０２１年）」https://career-research.mynavi.jp/reserch/20210922-15814/

*9 「夜勤中倒れ68歳死亡、労災申請「高齢者労働に配慮を」」（朝日新聞デジタル、二〇一八年十月十七日）https://www.asahi.com/articles/ASLBK5D1QLBKULFA01H.html

*10 内閣府男女共同参画局「年齢階級別労働力率の就業形態別内訳（男女別、平成24年）」https://www.gender.go.jp/about_danjo/whitepaper/h25/zentai/html/zuhyo/zuhyo01-00-14.html

*11 真鍋弘樹「ロスジェネ単身女性の老後　半数以上が生活保護レベル　自助手遅れ」（朝日新聞デジタル、二〇二一年十月十四日）https://www.asahi.com/articles/ASPBG3RZJPBFUPQJ00H.html

*12 Michael Chapman「男女平等とアイスランド」(Guide to Iceland) https://www.guidetoiceland.is/ja/history-culture/gender-equality-in-iceland

*13 Virginia Woolf, *The Letters of Virginia Woolf*, vol.1, Nigel Nicolson and Joanne

Trautmann eds. (1st ed., 1975), London: Hogarth Press, 1983, p.491.

＊14 阿古真理「世界一男女平等な国にある「主婦の学校」 映画が映し出す「ていねいな暮らし」とは?」(Yahoo! ニュース個人、二〇二一年十月十六日) https://news.yahoo.co.jp/byline/akomari/20211016-00256909

＊15 木村裕明「ＳＯＭＰＯ、介護職約1千人の年収50万円引き上げへ 看護師並みに」(朝日新聞デジタル、二〇二一年十月十三日) https://www.asahi.com/articles/ASPBD6QYZPBDULFA01J.html

＊16 木村裕明「「介護職の処遇は低い。期待値を還元する」 ＳＯＭＰＯケア人事部長」(朝日新聞デジタル、二〇二一年十月十三日) https://www.asahi.com/articles/ASPBD6RSXPBDULFA01G.html

＊17 中崎太郎「アイスランドが、ジェンダーギャップ指数11年連続トップ。そのきっかけは、１９７５年の出来事だった。」(ハフィントンポスト、二〇二〇年三月十日) https://www.huffingtonpost.jp/entry/story-iceland-gendergap_jp_5e634b9cc5b6670e72f881aa

7章 多孔的な自己

＊1 シャルル・ボードレール「万物照応」(『悪の華』)、福永武彦『ボードレールの世界』(講談社文芸文庫 Kindle 版、二〇一九年)。

＊2 チャールズ・テイラー『世俗の時代』(上)(千葉眞監訳、木部尚志、山岡龍一、遠藤知子訳、名古屋大学出版会、二〇二〇年)、四七頁。Charles Taylor, *A Secular Age*,

Cambridge, Massachusetts, and London: Belknap Press of Harvard University Press, 2007, p.27.

＊3　レイチェル・ギーザ『ボーイズ　男の子はなぜ「男らしく」育つのか』（冨田直子訳、DU BOOKS、二〇一九年）

＊4　中村佑子『マザリング　現代の母なる場所』（集英社、二〇二〇年）、九～一〇頁。

＊5　小島美羽『時が止まった部屋　遺品整理人がミニチュアで伝える孤独死のはなし』（原書房、二〇一九年）、六頁。

＊6　斎藤幸平「気候崩壊と脱成長コミュニズム　ポスト資本主義への政治的想像力」、『世界』十月号（岩波書店、二〇二一年）、一〇五頁。

＊7　熊谷晋一郎『リハビリの夜』（医学書院、二〇〇九年）、九四～九五頁。

8章　ダーウィニズムとケア　1

＊1　土谷尚嗣「クオリア」（脳科学辞典、二〇一六年）https://bsd.neuroinf.jp/wiki/クオリア

＊2　適者生存はダーウィニズムの所産であると思われがちだが、じつは哲学者ハーバート・スペンサーが一八六四年に『生物学原理』（*Principles of Biology*）で発案した概念である。個体それぞれに生まれつき定められている適応力に重点を置いていたチャールズ・ダーウィンだが、『種の起源』の第五版では、生物の進化に限らず、社会学や倫理学にも応用したスペンサーの「適者生存」の考えを取り入れている。Charles Darwin, *On the origin of species by means of natural selection, or the preservation of favoured races in the struggle for life*, London: John Murray, 1869, 5th edition, pp.72-73.

*3 ジリアン・ビア『ダーウィンの衝撃――文学における進化論』（渡部ちあき、松井優子訳、工作舎、一九九八年）、一七八～一七九頁。

*4 「出荷」がずっと先の四歳以下の子どもは農園に残して、二年以内に迎えに行くという入念な計画である。

*5 近年は、『パラサイト　半地下の家族』や『イカゲーム』のように、経済的弱者が死にものぐるいで社会の底辺から這い上がろうと凄まじい執念を燃やす作品も人気を博しているが、同じように〈アライ〉たちの奮闘ぶりが描かれている。

*6 出口真紀子「マジョリティの特権を可視化する～差別を自分ごととしてとらえるために～」（東京人権啓発企業連絡会「ひろげよう人権」のサイトから、二〇二〇年七月）
https://www.jinken-net.com/close-up/20200701_1908.html
より詳しい議論は、ダイアン・J・グッドマン『真のダイバーシティをめざして――特権に無自覚なマジョリティのための社会的公正教育』（出口真紀子監訳、田辺希久子訳、上智大学出版、二〇一七年）を参照のこと。

*7 エマのような食用児たちは、千年もの間、人間と鬼の境界線にある「門番」を務めてきたラートトリー家の人々によって、鬼たちに引き渡されてきたのだ。それは、鬼が決して人間の世界に入らないという約束の条件となっていた。白井カイウ原作、出水ぽすか作画『約束のネバーランド』第二〇巻（集英社、二〇二〇年）、四七頁。

*8 白井カイウ、出水ぽすか『約束のネバーランド』第二〇巻、四六～四七頁。

*9 宮沢賢治「フランドン農学校の豚」『宮沢賢治全集7』（ちくま文庫、一九八五年）、一

三五頁。

＊10 猗窩座の「強さ」をめぐる分析については植朗子による『鬼滅夜話――キャラクター論で読み解く『鬼滅の刃』』を参照のこと（二八四〜二八八頁）。

＊11 木村敏『関係としての自己』（みすず書房、二〇〇五年）。

＊12 高瀬隼子『おいしいごはんが食べられますように』（講談社、二〇二二年）、六六頁。

9章 ダーウィニズムとケア 2

＊1 二〇二〇年十一月二十日から二十三日までに、通信教育大手のベネッセホールディングスが「進研ゼミ小学講座」の小学生を対象に実施したアンケート。対象者の男女比に偏りがあるため（女子五一七〇人、男子二四九〇人）その点は考慮する必要があるものの、いずれにしても小学生の間での『鬼滅の刃』人気は圧倒的である。「小学生憧れの人トップ10に鬼滅から7人　ベネッセ調査」（朝日新聞デジタル、二〇二〇年十二月三日）https://www.asahi.com/articles/ASND342G7ND3UCVL008.html

＊2 堀越英美「『鬼滅の刃』胡蝶しのぶ人気と『ビルド・ア・ガール』に見るケアの復権」（「ぼんやり者のケア・カルチャー入門」第一回）https://ohtabookstand.com/2022/02/careculture-01/

＊3 片岡大右「『鬼滅の刃』とエンパシーの帝国」、『群像』二〇二一年十一月号（講談社）、二二一頁。

＊4 チャールズ・テイラー『世俗の時代』（下）（千葉眞監訳、石川涼子、梅川佳子、高田宏史、坪光生雄訳、名古屋大学出版会、二〇二〇年）、八三一頁。

＊5　Christine Reynier, Virginia Woolf's Ethics and Victorian Moral Philosophy, *Philosophy and Literature*, 38: 1, 2014, p.129.

＊6　ウルフが病気に関心を持っていたのは、彼女自身が頭痛、躁鬱病、インフルエンザなどの病気に罹っていたからというのが通説である。

＊7　Leslie Stephen, *The Science of Ethics*, London: Smith, Elder & Co., 1907, p.393.

＊8　Leslie Stephen, The Moral element in literature, *The Cornhill Magazine*, Jan, 1881, p.34.

＊9　G・E・ムア『倫理学原理』（泉谷周三郎、寺中平治、星野勉訳、三和書籍、二〇一〇年）、二九四頁。

＊10　ヴァージニア・ウルフ「病気になるということ」②。

＊11　タレントの女性が二〇二一年十一月二十五日に、息切れのためマスクを外したところ、すれ違った男性からマスクをしろと怒鳴られたことをブログで明かしている。（日刊スポーツ、二〇二一年十一月二十六日）https://www.nikkansports.com/entertainment/news/202111250000666.html

＊12　荒木映子「巡礼者スウィーニー」、『人文研究　大阪市立大学文学部紀要』第四六巻、第一三分冊（一九九四年）、七九頁。

＊13　ジリアン・ビア『未知へのフィールドワーク　ダーウィン以後の文化と科学』（鈴木聡訳、東京外国語大学出版会、二〇一〇年）、二一四頁。

＊14　ヴァージニア・ウルフ『波』、三三二頁。

＊15　片山亜紀「訳者解説」、ヴァージニア・ウルフ『幕間』（片山亜紀訳、平凡社、二〇二〇年）、二八三頁。

＊16　ヴァージニア・ウルフ『幕間』、二二〇頁。

＊17　渡辺祐真「ウルフ『幕間』の紹介【20分で1冊】【スケザネ図書館の書庫】【戦争に対して文学は何ができる!?】【理性を越えられるものはなにか?・】」https://www.youtube.com/watch?v=Q016al8wMws

＊18　野島秀勝「解説　『歳月』について」、ヴァージニア・ウルフ『歳月』（大澤實訳、文遊社、二〇一三年）、五六〇頁。

10章　ピアグループとケア

＊1　飯島裕子『ルポ　コロナ禍で追いつめられる女性たち　深まる孤立と貧困』（光文社新書、二〇二一年）、二八頁。

＊2　東京ボランティア・市民活動センター「セルフヘルプという力　増訂版」より「非正規雇用、シングル女性として生きるということ　篠田さん」https://www.tvac.or.jp/special/selfhelp/people_shinoda

＊3　村上靖彦『ケアとは何か　看護・福祉で大事なこと』（中公新書、二〇二一年）、一三一頁。

＊4　片山亜紀「訳者解説」、ヴァージニア・ウルフ『ある協会』（片山亜紀訳、エトセトラブックス、二〇一九年）、三八〜四〇頁。

＊5　ヴァージニア・ウルフ『ある協会』、九頁。

＊6　オスカー・ワイルド「謎のないスフィンクス」、『オスカー・ワイルド全集Ⅰ』（西村孝次訳、青土社、一九八〇年）、三九六頁。

*7 一八九〇年の三ギニーの価値は、現在の英ポンドではおよそ二百五十八ポンドで、日本円にすれば、三万九千円ほどになる。https://www.nationalarchives.gov.uk/currency-converter/#currency-result

*8 カッセル社の申し出は、貧乏に悩まされていたワイルドにとっては「天来の福音」であったが、俸給年額三百ポンドは当時としては「恐ろしく安い給料」だった。平井博『オスカー・ワイルドの生涯』（松柏社、一九六〇年）、七九頁。

*9 角田信恵『オスカー・ワイルドにおける倒錯と逆説』（彩流社、二〇一三年）、一二五頁。

*10 川津雅江『サッポーたちの十八世紀——近代イギリスにおける女性・ジェンダー・セクシュアリティ』（音羽書房鶴見書店、二〇一二年）、二八頁。

*11 Jane Harrison, The Pictures of Sappho, in *Woman's World* (April 1888), pp.275-276.

*12 Yopie Prins, Greek Maenads, Victorian Spinsters, in *Victorian Sexual Dissidence*, Richard Dellamora ed., Chicago: The University of Chicago Press, 1999, pp.43-81.

*13 Shanyn Fiske, *Heretical Hellenism: Women Writers, Ancient Greece, and the Victorian Popular Imagination*, Athens: Ohio University Press, 2008, p.6.

*14 オスカー・ワイルド「つまらぬ女」、『オスカー・ワイルド全集II』（西村孝次訳、青土社、一九八一年）、三二三頁。

*15 Michael Y. Bennett, *Oscar Wilde's Society Plays*, New York: Palgrave Macmillan, 2015, p.181.

11章　カーニヴァル文化とケア

＊1　ルイス・キャロル「不思議の国のアリス」、『詳注アリス　完全決定版』(マーティン・ガードナー編、高山宏訳、亜紀書房、二〇一九年)、七八頁。

＊2　Carina Garland, Curious Appetites: Food, Desire, Gender, and Subjectivity in Lewis Carroll's Alice Texts, *The Lion and the Unicorn*, 32.1, 2008.

＊3　Peter Coveney, *The Image of Childhood: the Individual and Society: a Study of the Theme in English Literature*, revised edition, London: Penguin, 1967, p.242.

＊4　Michael Fitzgerald, *Autism and Creativity: Is There a Link Between Autism in Men and Exceptional Ability?*, East Sussex: Brunner-Routledge, 2004.

＊5　伊藤亜紗『どもる体』(医学書院、二〇一八年)、一九、三一頁。

＊6　横道誠『みんな水の中　「発達障害」自助グループの文学研究者はどんな世界に棲んでいるか』(医学書院、二〇二一年)、四四頁。

＊7　林香里『〈オンナ・コドモ〉のジャーナリズム　ケアの倫理とともに』(岩波書店、二〇一一年)、五頁。

＊8　岡野八代「ケアの倫理から、民主主義を再起動するために」、ジョアン・C・トロント著、岡野八代訳・著『ケアするのは誰か？　新しい民主主義のかたちへ』(白澤社、二〇二〇年)、一二七頁。

＊9　ドードーは、一六世紀末にモーリシャスで発見された鳥で、人が食べ物として乱獲したことや入植者が持ち込んだ動物に生息地を追われたことを理由に一六八〇年までに絶滅した。二〇一七年に生物学者デルフィーヌ・アングストと英ロンドン自然史博物館の研

究者らがドードーに関する研究論文を英科学誌ネイチャー系オンライン科学誌「サイエンティフィック・リポーツ」に発表し、これまであまり知られていなかったこの鳥の成長サイクルなどを一部解明したと報道されている。「絶滅鳥「ドードー」、謎の生態を一部解明」（AFP、二〇一七年八月二十五日）https://www.afpbb.com/articles/-/3140472

＊10　Mark M. Hennelly Jr., Alice's Adventures at the Carnival, *Victorian Literature and Culture*, 37.1, 2009, pp.103-128.

＊11　Allon White, Hysteria and the End of Carnival: Festivity and Bourgeois Neurosis, *Semiotica*, 54.1-2, 1985, p.102.

＊12　高橋正泰「組織のポリフォニー論　新たな組織モデルを求めて」、『経営論集』五七巻四号、二〇一〇年、一〇三頁。

＊13　Robert M. Polhemus, *Comic Faith: The Great Tradition from Austen to Joyce*, Chicago, London: The University of Chicago Press, 1980, p.13.

＊14　Henry Holland, *Chapters on Mental Physiology*, London: Longman, Brown, Green, Longmans & Roberts, 1858, p.113.

＊15　Stephanie L. Schatz, Lewis Carroll's Dream-child and Victorian Child Psychopathology *Journal of the History of Ideas*, January 2015, p.102.　キャロル自身が所有していた精神医学書（たとえば、Henry Maudsley, *The Physiology and Pathology of the Mind*, 1867）にも、同様の指摘がなされている。

＊16　Sally Shuttleworth, *The Mind of the Child: Child Development in Literature, Science, and Medicine, 1840-1900*, Oxford: Oxford University Press, 2010, p.73.

＊17　Lewis Carroll, To His Uncle Hassard Dodgson, in *The Letters of Lewis Carroll : Volume One*, Morton N. Cohen ed., London: Macmillan, 1979, p.177.

＊18　Children's Employment Comission, *First Report of the Commissioners on the Employment of Children (Mines)*, London: William Clowes and Sons, 1842.

＊19　Lydia Murdoch, Alice and the Question of Victorian Childhood, in *The Age of Alice: Fairy Tales, Fantasy, and Nonsense in Victorian England*, Paughkeepsie, New York: Vassar College Libraries, 2015, p.13.

＊20　Roger Henkle, Comedy from Inside, in *Alice in Wonderland, A Norton Critical Edition*, second edition, Donald J. Gray ed., New York, London: W.W. Norton & Company, 1992.

12章　格差社会における「利他」を考える

＊1　Jerome Meckier, "Great Expectations" and "Self-Help": Dickens Frowns on Smiles, *The Journal of English and Germanic Philology*, 100.4, 2001.

＊2　首相官邸「菅内閣総理大臣記者会見」（二〇二〇年九月十六日）https://www.kantei.go.jp/jp/99_suga/statement/2020/0916kaiken.html

＊3　里見賢治「厚生労働省の「自助・共助・公助」の特異な新解釈――問われる研究者の理論的・政策的感度――」、『社会政策』第五巻第二号（二〇一三年）、三頁。

＊4　桜井智恵子「こども家庭庁の「こどもまんなか」政治　ネオリベラルな「ウェルビーイング」」、『現代思想』二〇二三年四月号（青土社）、六三頁。

＊5　Brian Simon, *The Two Nations & the Educational Structure 1780-1870*, London:

Lawrence & Wishart, 1974, pp.112-114.

＊6　BBC NEWS, Reader questions: When were school uniforms introduced?, 6 September, 2019. https://www.bbc.com/news/uk-england-49565558

＊7　Arthur A. Adrian, "Nicholas Nickleby" and Educational Reform, *Nineteenth-Century Fiction*, 4.3, 1949, p.239.

＊8　チャールズ・ディケンズ『ニコラス・ニクルビー』（上）（田辺洋子訳、こびあん書房、二〇〇一年）、一二〇頁。

＊9　シャーロット・ブロンテ『ジェイン・エア』、七九〜八〇頁。

＊10　本田由紀『「日本」ってどんな国？　国際比較データで社会が見えてくる』（ちくまプリマー新書、二〇二一年）、一二七頁。

＊11　伊藤亜紗「「うつわ」的利他　ケアの現場から」、伊藤亜紗編『「利他」とは何か』（集英社新書、二〇二一年）、五四頁。

＊12　Leona Toker, "Nicholas Nickleby" and the Discourse of Lent, *Dickens Studies Annual*, 38, 2007, p.24.

13章　戦争に抗してケアを考える

＊1　一七四五年の武力蜂起はじつは二度目で、一度目は一七一五年に起きていた。バーミンガムやオックスフォードなどで民衆暴動が起こり、マー伯ジョン・アースキンやトマス・フォスターが北部イングランドで挙兵したが、十一月にはフォスターが政府軍に包囲されて降伏し、次第に政府軍有利に展開した。

＊2　スコットランドは二つの地方に区分されているが、よりイングランドに近い南部がローランド、山に囲まれた北部がハイランドと呼ばれる。

＊3　プロットが複雑であるため、詳細は割愛するが、ジャック・ランダルはじつはクレアの夫フランクの祖先であり、ドラマでは同じ俳優（トビアス・メンジーズ）が演じている。

＊4　ジャコバイトの反乱とは、イングランドとスコットランドのあいだで現実に起きた戦争である。もともとスコットランドはイギリスの一部ではなかった。スコットランドがイングランドに合併され「グレートブリテン王国」となったのは一七〇七年で、その後、一八〇一年にアイルランド連合法により、グレートブリテン王国とアイルランド王国が合併し、グレートブリテンおよびアイルランド連合王国（The United Kingdom of Great Britain and Ireland）となった。一七〇七年以降もハノーヴァー議会政府に異議をとなえ続け、スチュアート王家を正統な君主として支持し続けたジャコバイトたちは、その復位を支持し、政権を動揺させた。

＊5　このドラマが女性作家ダイアナ・ガバルドンの原作である点も重要であるように思う。Jennifer Vineyard, The Best Sex on Television Is a Scottish Time-Travel Feminist Sci-Fi Fantasy—All hail Outlander, *Vulture*, April 10. 2016. https://www.vulture.com/2016/04/best-sex-tv-outlander-c-v-r.html

＊6　有元健「サッカーと集合的アイデンティティの構築について――カルチュラル・スタディーズの視点から」、『スポーツ社会学研究』一一巻（二〇〇三年）、三八頁。

＊7　筆者もイギリスで何度かサッカー観戦をしたが、その儀礼的実践に参加できないばかり

か、ヤジの言葉の意味さえ理解できなかった。当然チームに同一化できた気がしたことは一度もない。

*8 「独自調査として、露軍が一時占領したキーウ郊外と北部チェルニヒウ州で住民の殺害、拷問や監禁など「明らかな戦争犯罪」を65件確認した」と発表している。「民間人殺害の罪に問われたロシア軍の軍曹に終身刑求刑…露報道官「多くの事件は偽物だ」」(読売新聞オンライン、二〇二二年五月十九日)https://www.yomiuri.co.jp/world/20220519-OYT1T50189/

*9 ロシアの新しい法律により、「政府が「フェイク」と断じる情報を拡散した人は15年の禁錮刑を科せられることになった」という。ベン・トバイアス「反戦派のロシア人、自宅に脅迫相次ぐ　ウクライナ侵攻」(BBCニュース、二〇二二年三月二十九日)https://www.bbc.com/japanese/features-and-analysis-60896779

*10 野党・共産党のレオニード・ワシュケービッチ議員が本会議中に、プーチン大統領にウクライナ侵攻停止を要請する声明を読み上げた。彼は、「軍事作戦を中止しなければ、我が国の孤児が増えてしまう」と述べ、ウクライナからの撤収を求めた。「ロシア国内で「反戦の動き」…撤収を要求する議員、出征拒否で除隊処分の兵士も」(読売新聞オンライン、二〇二二年五月三十一日)https://www.yomiuri.co.jp/world/20220530-OYT1T50136/

*11 古川雄嗣、大場一央「「愛国心やナショナリズムは危険だ」という大誤解　ウクライナ問題で露呈、「大人の道徳」なき日本」(東洋経済オンライン、二〇二二年四月三十日)https://toyokeizai.net/articles/-/583627

＊12　ヴァージニア・ウルフ『三ギニー――戦争と女性』、一六三頁。

＊13　スタージョン率いる与党・スコットランド国民党（SNP）が四期連続で第一党となり、スタージョンは「単独過半数の65議席には1議席足りなかったものの、かねて提案している独立をめぐる住民投票への支持が高まっている」と述べている。「スコットランド独立問う住民投票は「やるかどうかではなく、いつやるか」＝スタージョン氏」（BBCニュース、二〇二一年五月十日）https://www.bbc.com/japanese/57052881

＊14　ジョージ・オーウェル「英国におけるユダヤ人差別」、『オーウェル評論集』（小野寺健編訳、岩波文庫、一九八二年）、二七四〜二七六頁。

＊15　ジョージ・オーウェル「ナショナリズム覚え書き」、『水晶の精神　オーウェル評論集2』（川端康雄編、小野協一訳、平凡社、一九九五年）、三六頁。

＊16　川端康雄『ジョージ・オーウェル――「人間らしさ」への讃歌』（岩波新書、二〇二〇年）、一六二頁。

＊17　韓国の文在寅大統領（当時）は二〇一九年八月十五日、日本の植民地支配からの解放を記念する「光復節」の式典で演説し、「日本が帝国主義の過去を顧みることを望むとした上で、日本側が対話を選択すれば「喜んで手を結ぶ」と述べた」と報道されている。「韓国大統領、日本との対話に「喜んで応じる」」（ロイター、二〇一九年八月十五日）https://jp.reuters.com/article/south-korea-moon-japan-idJPKCN1V50A0

＊18　J. C. D. Clark, Protestantism, Nationalism, and National Identity, 1660-1832, *The Historical Journal*, 43.1, 2000, p.251.

＊19　小野寺はさらに、「拡大抑止」についても、「日本は唯一の被爆国だからそんなことは

やってはいけないとか、核の議論をしたらいけないとか言うかもしれないが、現実はそうだ。核の議論をしなくていいのか」と耳を疑うような発言をしている。「「核の傘」国民的覚悟を　自民・小野寺氏インタビュー」（時事ドットコム、二〇二二年五月二十七日）https://www.jiji.com/jc/article?k=2022052601089&g=pol

＊20　岡野八代『戦争に抗する　ケアの倫理と平和の構想』（岩波書店、二〇一五年）、二四五〜二四六頁。

＊21　サー・ウォルター・スコット『ウェイヴァリー　あるいは60年前の物語』（上）（佐藤猛郎訳、万葉新書、二〇一一年）、六八頁。

＊22　河野真太郎『新しい声を聞くぼくたち』（講談社、二〇二二年）、三〇三頁。

＊23　ヴァージニア・ウルフ「病気になるということ」②。

＊24　チャールズ・テイラー『世俗の時代』（下）、八二三頁。

14章　ケアの倫理とレジスタンス

＊1　惣谷美智子『オースティン『レイディ・スーザン』——書簡体小説の悪女をめぐって』（英宝社、一九九五年）、一七一〜一七二頁。『レイディ・スーザン』は一八〇一年に執筆されたとする解釈もある。Marvin Mudrick, *Jane Austen: Irony as Defense and Discovery*, Berkeley: University of California Press, 1974, pp.139-140.

＊2　田岡尼「「子供を産めないことに泣き叫んだ」有働由美子を勇気づけた「子供を産まない選択をした」山口智子の強い言葉」（ＬＩＴＥＲＡ、二〇一六年五月二十三日）https://lite-ra.com/2016/05/post-2270.html

*3　有働由美子『ウドウロク』（新潮文庫、二〇一八年）、二二〇～二二一頁。
*4　橋迫瑞穂『妊娠・出産をめぐるスピリチュアリティ』（集英社新書、二〇二一年）、四二頁。
*5　チョ・ナムジュ『82年生まれ、キム・ジヨン』（斎藤真理子訳、筑摩書房、二〇一八年）。
*6　オルナ・ドーナト『母親になって後悔してる』（鹿田昌美訳、新潮社、二〇二二年）、一八～一九頁。
*7　アンネ・フランク『アンネの日記　増補新訂版』、九三頁。
*8　上野千鶴子『女ぎらい　ニッポンのミソジニー』（朝日文庫、二〇一八年）、一八八頁。
*9　水上文「「娘」の時代——「成熟と喪失」その後」、『文藝』（河出書房新社、二〇二二年春号）、八七～八八頁。
*10　ジェイン・オースティン『レイディ・スーザン』、惣谷美智子訳（英宝社、一九九五年）、一九～二〇頁。
*11　James Edward Austen-Leigh, Preface, *A Memoir of Jane Austen*, London: Oxford University Press, 1951.
*12　信田さよ子『家族と国家は共謀する』（角川新書、二〇二一年）、七三頁。

初出
「群像」二〇二一年八月号～二〇二二年九月号

小川公代（おがわ・きみよ）

一九七二年和歌山県生まれ。上智大学外国語学部教授。ケンブリッジ大学政治社会学部卒業。グラスゴー大学博士課程修了（Ph.D.）。専門は、ロマン主義文学、および医学史。著書に、『ケアの倫理とエンパワメント』（講談社）、『文学とアダプテーション――ヨーロッパの文化的変容』『文学とアダプテーションII――ヨーロッパの古典を読む』（ともに共編著、春風社）、『ジェイン・オースティン研究の今』（共著、彩流社）、訳書に『エアスイミング』（シャーロット・ジョーンズ著、幻戯書房）、『肥満男子の身体表象』（共訳、サンダー・L・ギルマン著、法政大学出版局）などがある。

ケアする惑星（わくせい）

二〇二三年一月二四日　第一刷発行

著者　小川公代（おがわきみよ）

発行者　鈴木章一

発行所　株式会社講談社
〒一一二-八〇〇一　東京都文京区音羽二-一二-二一
電話　出版　〇三-五三九五-三五〇四
販売　〇三-五三九五-五八一七
業務　〇三-五三九五-三六一五

印刷所　凸版印刷株式会社

製本所　株式会社国宝社

ISBN978-4-06-529682-0